大唐芙蓉记　Datang Furong Ji
时代出版传媒股份有限公司
安徽文艺出版社

序

贾平凹

安徽文艺出版社编辑了这套散文，我看了一下目录，一半是三十多岁时写的，一半是近二十年来写的。我没想到竟还写了这么多。如果说散文最能体现作家本身的真实，那几十年里，在这样的时代里，在这样的土地上，我经历了什么，思想了什么，我苦或我乐，欢畅或隐忍，是真真心心全在里边，是了我的历史。

现在经常有人问道：你认为哪一时期的散文好呢？这我难以回答，说：都好吧。或说：都不好。当年轻的时候，年轻就是资积，一切都敏感，写作的欲望如夏天云云，稍一响动它就落雨，又讲究吾家承传统，苦锤句炼字，苦伏笔，苦灵动，往往看到人读了说：哇，有才气呀！还可能在笔记本上摘录那么几句。而年岁慢慢老安来，激情是少了，又多是在写完这一部长篇后和又写另一部长篇前的间隙里有许多拟写成散文的东西了，磕磕碰碰觉得意思不大又不想了，而是写就写自己在生活中那点疑而传悟，能长便长，不长就短，似乎再没什么虎头豹尾，

①

贾平凹
散文典藏大系（文墨本）
大唐芙蓉记
Jia Pingwa Sanwen Diancang Daxi
(Wenmo Ben)
Datang Furong Ji

贾平凹　著

时代出版传媒股份有限公司
安徽文艺出版社

图书在版编目(CIP)数据

大唐芙蓉记/贾平凹著.—合肥:安徽文艺出版社,2013.4(2017.3重印)
(贾平凹散文典藏大系)
ISBN 978-7-5396-4395-3

Ⅰ.①大… Ⅱ.①贾… Ⅲ.①散文集-中国-当代 Ⅳ.①I267

中国版本图书馆 CIP 数据核字(2013)第 047257 号

总 策 划：朱寒冬　刘景琳	出版统筹：韦　亚
责任编辑：张妍妍	装帧设计：丁　明

出版发行：时代出版传媒股份有限公司　www.press-mart.com
　　　　　安徽文艺出版社　www.awpub.com
地　　址：合肥市翡翠路 1118 号　邮政编码：230071
营 销 部：(0551) 63533889
印　　制：安徽新华印刷股份有限公司　(0551) 65859128

开本：880×1230　1/32　印张：7.75　字数：160 千字　插页：15
版次：2013 年 4 月第 1 版　2017 年 3 月第 2 次印刷
定价：560.00 元(全七册,精装)

(如发现印装质量问题,影响阅读,请与出版社联系调换)

版权所有,侵权必究

大唐芙蓉记

芙蓉园体现了大唐气象，传达着一种精神上的向往和需求。人无精神者颓，城无精神者废，国无精神者衰，芙蓉园建在西安，西安有了自信自强，中国何不昌盛！

序

贾平凹

安徽文艺出版社编辑了这套散文,我看了一下目录,一半是三十多岁写的,一半是近二十年来写的。我没想到竟还写了这么多。如果说散文最能体现作家本身的真实,那么六十年里,在这样的时代里,在这样的土地上,我经历了什么,思想了什么,悲苦或快乐,放荡或隐忍,足迹和心迹全在里边,是了我的历史。

现在经常有人问道:你认为哪一时期的散文好呢?这我难以回答,说:都好吧。或说:都不好。当年轻的时候,年轻就是梦想,一切都敏感,写作的欲望如夏天的云,稍一响动,它就落雨,又讲究要起承转合,要锤句炼字,要优美,要灵动,企望着别人读了说:哇,有才气呀!还可能在笔记本上摘录那么几句。而年龄慢慢老起来,激情是少了,又多是在写完这一部长篇后和又写另一部长篇前的间隙里,有许多想写成散文的东西了,琢磨琢磨觉得意思不大又不想了,而要写就写自己在生活中那点真正的体悟,能长便长,不长就短,似乎再没什么凤头豹尾,囫囵的,一锅煮。写作也真有趣,年轻时是花,年纪大了是果,年轻时是清秀,年纪大了是浑沌,年轻时是有词有韵的朗颂,年纪大了是一满家常着唠叨。我之所以回答都好,因为它们都是我写的,一棵树么,开春枝条嫩而柔软,入冬枝条苍而僵硬,可它却是一棵树。之所以回答都不好,又因为这棵树就是这么个品种,它生长的土瘠水少,又多风多雨,能开了什么艳花能结了什么硕果呢?!

  我前年回老家为父母修坟的时候,没有让我的孩子们去,我说:一辈人尽一辈人的责任。文学也是这样,我的生命在这块土地上经历着这个时代,既然是写作的,就写好我该写的文章,笔是第三只手,人和文尽力合一,忠诚的,真情的,几十年写过来了,再继续写下去。

2013 年 3 月 22 日

目录

在一次研讨会上的发言 / 1

在女儿婚礼上的讲话 / 3

《贾平凹小说精选集》序 / 5

《贾平凹散文自选集》再版后记 / 7

《逛山》小引 / 9

答《长城》编辑部问 / 12

张之光画集序 / 17

何海霞画集序 / 19

答《生活》杂志编辑部问 / 21

走向大散文 / 26

对音乐之见 / 28

《废都》后记 / 29

与田珍颖的通信(一) / 39

与田珍颖的通信(二) / 42

《埙乐》前言 / 45

在西大受聘答谢辞 / 46

一次谈话 / 48

关于小说创作的答问 / 50

为了崇高而美丽的事业 / 63

《商州：说不尽的故事》序 / 65

名角 / 70

《走虫》自序 / 76

答朱文鑫十问 / 77

《中国当代才子书·贾平凹卷》序 /82

灵山寺 /84

通渭人家 /89

抚仙湖里的鱼 /97

在玫瑰园里 /101

五十大话 /104

丽江古城 /107

玉虚洞 /112

黄河魂 /113

说舍得 /114

在旧历壬午二月二十一日五十寿宴上的讲话 /115

茶事 /117

数幅木刻年画 /124

吉祥的一次 /128

《怀念狼》中文繁字版序 /130

《散文研究》序 /132

我不知道 /135

《白夜》再版序 /137

《当代名画家精品集·贾平凹》序 /138

《高老庄》再版序 /141

老木的故事 /143

《大堂书录》序 /144

走过十年 /146

语言的"筋" / 149

《平凹散文》序 / 150

在《贾平凹前传》研讨会上发言 / 153

对当今散文的一些看法 / 156

关于小说语言 / 170

古土罐 / 179

残佛 / 182

在《美文》创刊五周年纪念会上致辞 / 185

给尚×的信 / 188

《贾平凹书画》自序 / 197

一九九八年五月三日的笔记 / 200

沙家浜记 / 202

在"贾平凹文学艺术馆"开馆仪式上的讲话 / 204

握手 / 205

飞龙在天 / 207

手稿版《西路上》答孔明问 / 210

泥土的形状 / 213

看展览 / 215

好的文学语言 / 217

大唐芙蓉记 / 224

大红袍记 / 227

游悟真寺记 / 228

《贾平凹小说精粹》前言 / 230

在首届世界华文长篇小说奖"红楼梦奖"上的受奖辞 / 231
在第四届华语文学传媒大奖上的受奖辞 / 234
拴马桩 / 238

在一次研讨会上的发言

自《浮躁》之后,我出版了长篇《妊娠》、中短篇小说集《太白》和散文集《人迹》、《静虚村散叶》等。这些作品与《浮躁》之前的作品有一定的变化,企图新生。我喜欢折腾。但我不愿意作任何宣言。作品一经出版了即属于社会,实际效果如何,有哪些可广大的和要汲取的,得与失,以后怎样调整,这就是西安市文联、作协召开这个会的目的。

非常感谢各位批评家、作家在大热天赶到西安参加这个会,整整两天时间,大家的发言是这么严肃、诚恳,见地又非常高,实在令我感动。大家的批评,有使我顿开茅塞的,有使我作深入思考的,有使我进一步要消化和引起警觉的,毫无疑问,这次会在我以后的创作道路上将起到非常重要的作用。

这些年里,我久病不愈,几乎全在医院度过,这些作品可以说充满了药味。病是一场灾难,我生活得很苦,但是,大病却使我静定思游,有许多方面宜于文学,体验了另一种人生,改变了另一种的思维。如今年龄又近于四十,我感觉我是比以前要成熟和清醒了好多。可以说,现在才能读懂世间的一些大书。日前再读《红楼梦》感触就特别多,想我那些作品,实在是不堪入流。好长时间心闷得很慌,但是自己毕竟能力有限,如有觉悟之后又陷入茫然,如何脚踏实地一步一步走前去,如何沉静下来花大力气完成一部两部有分量的作品,确实希望有人鼓劲,有人指拨,所以依我的心性并不想热闹,而文联、作协筹划召开这个会时我也好生地珍贵。

作家说到底是以作品说话,在会议结束之时,我除了感激之外,下来就是要面对着创作了,但愿我不会辜负大家,数年后我们能再见。

在女儿婚礼上的讲话

我二十七岁有了女儿,多少个艰辛和忙乱的日子里,总盼望着孩子长大,她就是长不大,但突然间她长大了,有了漂亮、有了健康、有了知识,今天又做了幸福的新娘!我的前半生,写下了百十余部作品,而让我最温暖的也最牵肠挂肚和最有压力的作品就是贾浅。她诞生于爱,成长于爱中,是我的淘气,是我的贴心小棉袄,也是我的朋友。我没有男孩,一直把她当男孩看,贾氏家族也一直把她当作希望之花。我是从困苦境域里一步步走过来的,我发誓不让我的孩子像我过去那样的贫穷和坎坷,但要在"长安居大不易",我要求她自强不息,又必须善良、宽容。二十多年里,我或许对她粗暴呵斥,或许对她无为而治,贾浅无疑是做到了这一点。当年我的父亲为我而欣慰过,今天,贾浅也让我有了做父亲的欣慰。因此,我祝福我的孩子,也感谢我的孩子。

女大当嫁,这几年里,随着孩子的年龄增长,我和她的母亲对孩子越发感情复杂,一方面是她将要离开我们,一方面是迎接她的又是怎样的一个未来?我们祈祷着她能受到爱神的光顾,觅寻到她的意中人,获得她应该有的幸福。终于,在今天,她寻到了,也是我们把她交给了一个优秀的俊朗的贾少龙!我们两家大人都是从乡下来到城里,虽然一个原籍在陕北,一个原籍在陕南,偏偏都姓贾,这就是神的旨意,是天定的良缘。两个孩子生活在富裕的年代,但他们没有染上浮华习气,成长于社会变型时期,他们依然纯真清明,他们是阳光的、进步的青年,他们的结合,以后的日子会快乐、灿烂!在这庄严而热烈的婚礼上,作为父母,我们向两个孩子说三句话。第一句,是一副对联:一等人忠臣孝子,两件事读书耕田。做对国家有用的人,做对家庭有责任的人。好读书能受用一生,认真工作就一辈子有饭吃。第二句话,仍是一句老话:"浴不必江海,要之去垢;马不必骐骥,要之善走。"做普通人,干正经事,可以爱小零钱,但必须有大胸怀。第三句话,还是老话:"心系一处。"在往后的岁月里,要创造、培养、磨合、建设、维护、完善你们自己的婚姻。今天,我万分感激着爱神的来临,它在天空星界、江河大地,也在这大厅里,我祈求着它永远地关照着两个孩子!我也万分感激着从四面八方赶来参加婚礼的各行各业的亲戚朋友,在十几年、几十年的岁月中,你们曾经关注、支持、帮助过我的写作、身体和生活,你们是我最尊重和铭记的人,我也希望你们在以后的岁月里关照、爱护、提携两个孩子,我拜托大家,向大家鞠躬!

《贾平凹小说精选集》序

公元一九九一,这一年多雨,水星值日,什么都淋淋地湿,文学应该与水的关系亲近,我却害病了。西施害病,我害的什么呢?卧在病床上想,有的人员里要当官的,可福分太浅,只能在戏台演官,我或许是要蹲几年牢的,念我良善,改作住院了。写文章挣钱,挣了钱吃药,这一身的肉都发苦,杨七郎死于箭下,若将针眼比箭眼,计算起来我早已万箭穿身了。

生病生到这个份上,也是体验人生的一个法门。回首近四十年的月亮太阳,能给我的只是这一支水笔,出门在外,人唤我"著名作家",听之觉得心酸,常常坠在无名状的惆怅里,生不尽的孤寂,我到底写了些什么呢,值得让人知道我?即使小小名气,成名岂是成功?作家充其量是个手艺人,我的"活儿"做得并不好。

忽一日有人来医院看我,是陕西人民出版社的编辑和一位中年人——据介绍说中年人是益书堂先生,新城汽车配件公司的经理,优秀的企业家。益先生话很少,始终微笑,亲善而充满智慧——说,他们两家横向联合,有一个计划,希望我能合作,就是由企业出钱,让出版社牵头组织编委会,编选我的一本五十万字的小说集。这事我有点窘,我的小说值得这么大动干戈吗?编出来能卖得了吗?但他们的兴趣似乎很浓,我也不好说什么,鸡下了蛋,蛋就不属于鸡的了。

益先生是声誉颇高的企业家,同时热情爱好文学,组成的编委会的七位编委,都是名望很大的专家,多次开会研究,工作严肃认真,这样的编选,这样的出版,于我还是第一次,我珍贵着他们的厚爱和支持,在此深表谢意。

选编的篇目,涉及我写作以来的各个阶段,自然不可能囊括进长篇,短篇也有限地收了几篇,便以中篇为主了,依我所见,这本集子编选得很有特色,但愿读者能同我一样喜欢它。

1991年端午节

《贾平凹散文自选集》再版后记

这本选集是一九八七年以前的作品,清样打印出来时我去了桂林及西南几个省份,完成了我最远的一次旅行。一九八八年我就病了,在医院里几乎躺过了我的三十六本命年。我写散文,多是心绪不好的时候开笔,病中及病后,也就有了另一批散文作品。回头看看,以本命年为界,也可以说以大病前后,散文的境界是不同的。本命年如果是坎,坎于人生是很重要的,大病也是人生的好事,是难得的哲学。但这本选集我仍珍重。我感动着读者对它的喜欢,肯拿出不少的钱去买它,又不断地给我来信抱怨书店的订货太少。现在漓江出版社决定再版,我借此向敬爱的读者朋友致意,也向当年在全国敢于第一回印这么厚的散文选集和这次为再版而做出许多繁杂工作的漓江出版社的彭匈先生、朱新平先生致以衷心感谢。

筹划再版事宜时,恰是台湾著名作家三毛逝世的消息传来,且三毛在临终前给我写了长长的一信,倾诉了她在人生与艺术中的渴求和寂寞。三毛死于天才的孤独。凡进入大境界的人都是孤独的。她的自杀于她或许是一种解脱的最好方式,留给读者如我的却是长长久久的痛惜。出版社意欲借此再版收进三毛给我的信件及我两篇悼念她的文章,我是同意的。这本书我曾寄给过三毛,她是在收到的当日就看了一部分,她来信说她继续要看,且要将读后感以后告诉我,却不料就在一两天后去世了。我愿将此书的再版本再献给她,寄托我们暂短而终生不能忘却的友谊。

            1991年2月8日早

《逛山》小引

　　随着年龄的增长,我已经是一个很好的掘墓人,每一次回故乡去,恰恰地就碰上某一位长辈过去,我认定这是缘分,尽力完满孝道,作想某一日里埋葬了所有的长辈,故乡就再不魂绕梦牵,我将流浪他方,如经天的一片飘叶。葬礼的天始终阴着或下雨,人活着我并不体会到他活着对我的好处,当想起他的好处的时候,他已经死了。遥远的初为人的年月,亡者与我的见面总是抓我的生殖器,手粗糙如树皮,你是怎样地哭,他依然在问你要不要媳妇。稍大了,踏着热烫的牛粪跟了他和牛去坡田,他提着犁把吼叫着让你去整理绊住了的曳绳,牛蹄乱蹬,你不敢近去,牛就被骂过一个响午,你也被骂了一个响午,收工了,立在你家门前当着父母的面还要骂。工作了,牵着妻子女儿回去,巷道里打个照面,递一颗香烟给他,他是看不上这种纸烟,这种纸烟没劲,却嘎嘎笑着,凑近鼻子大着声响地闻,然后夹在耳朵上,还是把口水淋淋的旱烟锅的玉石嘴儿塞进口去,"这是吃你第十颗烟了,"他说,口音灰浊,"活着吃你一颗烟,顶得住死后你哭十声的!"现在我不哭,我已经没有眼泪,脱掉城市的服装,穿上草鞋,我为我的长辈掘深而大的墓。

　　在这样的晚上,龟兹班的号令在疯狂吹打,全村的人在合唱一种孝歌,我震撼着巨大的凄苦和悲凉,我以至在返回城市的长久的时间里，我觉得我在唱那一段孝歌，不是用口，而是全身每一个细胞，我听见沉沉的声音到处在唱：

> 人活在世上有什么好
> 说一声死了就死了
> 亲戚朋友都不知道
> ……

世上有富贵的人，也有富而不贵的人，也有贵而不富的人，我的商州故乡瘠贫，有史以来并未产生过大的官僚，多有隐士和匪类，秦时四皓是大隐，匪盗著名的更不胜其数，他们恐怕属于贵而不富或富而不贵之流。我想这是长江流域与黄河流域交错的，也是北方文化与南方文化过渡的商州这块地方的雄秦秀楚的风水所致，山中有明丽之光也有阴瘴之气凝聚不均所致。他们的历史记载在各种版本的商州志里或流传于民间，当我看到和听到的时候，我深深体会着一种沉重，在每一次我的长辈的尸体装在棺里，五寸长的大钉哐哐地钉严了棺盖，我就想亡者的灵魂一定从那一瞬间飘走，他们或许是那些闲士和匪类的转世，漂动了一生再回归冥处，或许是他们并未英武活人，末了去追随那些闲士和匪类的鬼魂。差不多这时就听见黑暗的村外有唉唉的猫头鹰在哭，哭着似笑。

我在写过了商州故乡的我的长辈的许多现实故事，曾心动着写写神话新编，如小时候读过的长大一直强烈影响着我的《夸父逐

山物
己丑年

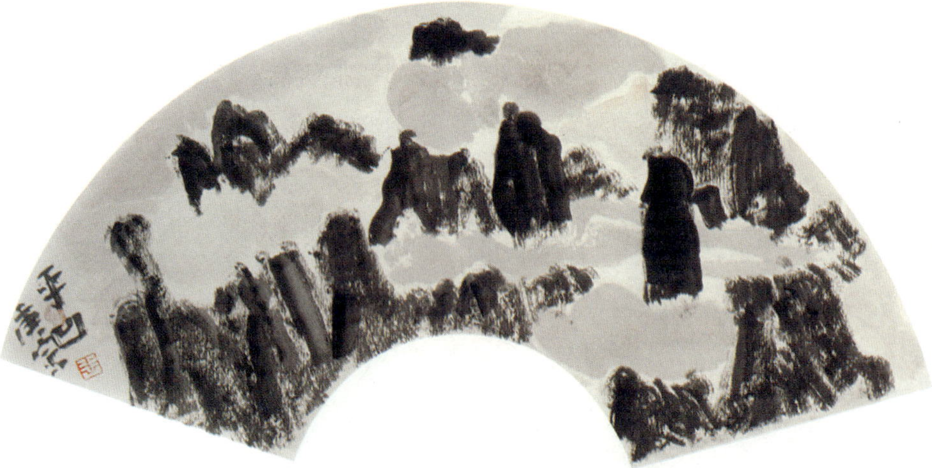

日》、《精卫填海》、《刑天午戚》,但一直未能写出,后来就关注了商州的隐士和匪类。作隐是生存的一种,为匪是生存的一种。商州历史上的隐士其实绝大部分是文人,都是享过了福的或谋图着享福,如现在的有些官员,稍有失意就告病住院,或,官当长了、大了总对普通人说当官的不好处。他们的无为是为的无奈,淡泊是不淡泊的之后。而为匪就不易了,未为时便知是邪,死后必然还要遗臭,为什么偏有这么多的匪盗呢?看了志书听了传说,略知有的是心性疯狂,一心要潇洒自在,有的是生活所逼,有的其实是为了正经干一件惊天动地的事,正干不成而反干。他们其中有许多可恨、可笑又可爱处,有许多真实的、荒诞的、暴戾的、艳丽的事,令我对历史有诸多回味,添诸多生存意味。四年前我兴趣地投入一部叫《忙忙人》的写作中,差不多就要写成了,不幸一场大病搁笔,且预感那部书于我生命不利,决意将死之前或死之以后再发表。但我却总难丢心那部书,就将其中原本属于几个小小情节抽出来扩展能独自成章几段,于是有了现在这本小书。

　　书名为《逛山》,逛山者,是故乡人称匪的名称。这些匪类一生在山上逛荡,下山来令社会惧怕如下山虎,这就与平原上的"土匪"和江洋上的"海盗"有一定的地域区别、文化区别了。

1992 年 3 月 30 日

答《长城》编辑部问

问：你成名以后，在写作上输过吗？

答：成名不一定成功。我是输过的，也是赢过的，作品常被非议、责难和无可奈何地叹息，我也焦躁、沮丧，甚至悲哀落泪，我是输过许许多多人与事，但我最终没输过我。我以前是胜负型棋手，现在不敢说是求道派的，但我这么想：写作是一个人体证天地自然、社会人生的一种法门，不要老是想着我的文章怎样，而只要以法门态度对待，文章自然而然就境界大起来了。

问：许多作家都可以并入某个团体派别，你的创作一直挺个别，你同意这种说法吗？

答：这种说法说的人还多，我就想了，真是这样吗？作家能并入某个团体派别或许是幸事，"一直挺个别"或许是糟事，我可从来没有追求过"挺个别"，如果"挺个别"的话，一个原因是我不爱热闹，少说话，少走动，一个原因是我爱沉湎于自己的幻想世界里。我的作品差不多是某一个时期想什么就出产三至四个小说或散文，这么一组一组缓慢进行的。回想起来，也曾走红一段，而那一段的作品正好碰上了文坛的一个派别，过后，我又恢复了以前那种不红也不甚黑的状态。

问：你还记得你发表的第一篇作品吗？愿意回忆一下当时的

感受吗?

答:这我曾写过一个小文谈过,在此就不说了,当时的感受是巨大的兴奋,充满了今生能吃这碗饭的自信力。

问:你的《浮躁》获美国美孚飞马文学奖,你个人怎么看待中国作家在国际上获奖这件事情,以及怎么看待你的《浮躁》?

答:能在国际上获奖,当然是好事,我也高兴,但也没有高兴到什么份儿上去。此书英译本在美出版时我应邀去了美国,与许多美国作家和汉学家交谈,他们虽较高地评价此书,而我最激动的是在与他们交谈中所获得的启示。我满意的是《浮躁》写了我的激情,写了我的体验,我遗憾我一九八五年写这本书时没有从容心态。

问:你在许多方面都有很好的建树,无论短篇、中篇、长篇及至散文。把你任何一个领域的成就转移给一位作家,都可以使他奉泽到晚年。你个人更喜欢自己的哪一类写作?你不认为齐头并长是实现一种大境界的耗费吗?我个人以为你的塔已经耸起来了,是不是该磨出最锋利的那个尖了?

答:我写短、中、长篇小说和散文,并不想到要证明我什么都行,我是觉得写长就长,写短就短,完全凭自在而为。回过头来,我喜欢写中篇。写散文是心情不好才写的。我写作有快感,并不累。我不认为我这是齐头并长,也不认为这样写是对实现一种大境界的耗费。或许,一切,都是试验,是试验着走近(不是走进)一种大境界吧。我也想磨出最锋利的尖,每写一个作品都感觉不错,过后则摇头了,我只能期待下一个作品。或许到头空空,那就该怨我没有宿命了。

问：你近来似乎对《易经》乃至气功都有深入的兴趣，文坛前一阵似乎也出现了"丹田文学"（笑谈）风。当然，在文学创作中，一切丰富并有益于社会主义大众心灵的东西我们都需要，而且《易经》作为一部古典科学著作，气功作为一门养心养性的学问，是值得研究的。在文学创作中，我个人比较推崇正气的写作，一直以为一些末梢的幽冥的声音在健康向上的年代里是不应该被重视的。你怎么看待这个问题？

答：我对什么都有兴趣，但却未有深入研究，只是从中寻我有用的东西。你的观点我是赞同的。一个时代的文学是有时代的烙印的，这是势，而不可能人为改变。正气的写作，我认为是大境界的写作。一个时代出什么样的文学有时代的势，也有具体作家的情况，曹雪芹能写《红楼梦》，同时期的别的作家就写不出来。所以，我不反对什么人写什么，我只控制住我自己，而别人的这样那样的作品出现，于我更是好事，我可以吸收他们于我有用的，剔除或警惕他们于我有损的，始终向别人学习，也始终看别人在为我服务。文学就是这样，是好的就留下来了，不好的就自生自灭了，我主张一切任其发展（当然不包括反动的和黄色的）。

问：许多作家都挂职下乡进山深入生活，你以为一位作家关心时代的政治生活应该达到怎么样的深度？

答：作家不关心时代的政治生活是不可能成为作家的，但作家之所以是作家，他从事的是艺术，他对于时代的政治生活的关心，是他在从事艺术过程中最基本的一种思考，而当他进入创作，他还是要进入这基本思考之上的幻想世界中去。现在许多作家(包括我在内)是不是有一种"气",这"气"太重?我常想,曹雪芹写《红楼梦》时生活极端贫困,但写的大观园却那么灿烂,他的写作境界是什么样的呢?

问:你的中篇小说《二月杏》发表在1981年第4期《长城》上,你能谈一下写作这个小说时的状态,并在此对《长城》的读者讲几句话?

答:《二月杏》现在看是很嫩的作品。当时写时我是坠在那个气氛中的。这部小说后来受到一些批评。对于那场批评,我现在不想多说话。批评是正常的,如果言之有理,我就改,即使批评得言过其实,也能令我清醒。随着年龄阅历增长,我现在虽不敢说有了佛的"平常心",但对别人说我好,我不会太张狂,别人说我不好,我也不会太悲伤。表扬和批评对我都有好处,只要不夺掉我的笔。我现在还要感谢《长城》当年发我的作品,这几年未给投稿,我也内疚,因身体不好,写得不多,以后若有较满意的东西,我还要投奔《长城》。这是个并不十分红爆的杂志,但端庄稳重,有自己的风度,是家大刊物。

问:你喜欢什么乐器?你最希望接触的那种色彩是什么?

答:我喜欢二胡。希望接触的色彩是黑、白、红。

问:欣赏绘画,你心里快乐吗?我指的是具体感觉背后的那种东西,绘画在你写作的过程中产生什么样的影响?

答:我欣赏到一件好画,心里是十分快乐的,那一种境界,一种味,我就不会忘掉。绘画给我的写作影响很大,以前我最喜欢读的是美术理论。

问：你最喜欢你小说中的哪一个人物，你是怎样为你的小说命名的？

答：我喜欢《五魁》中的五魁。我的小说名差不多都是两个字。我不喜欢作品名太花哨，太表面的诗意和刺激，我喜欢笨、憨，但有嚼头的命名。一切的比喻再好，都不如不比喻。

问：你现在所进行的努力应该称之为是那种为保卫自己的声名而进行的奋斗了，你现在有什么新打算？

答：说老实话，我从来没有这么想过，我有时很得意，但更多时很悲观，我觉得我可怜，我到底写了些什么呢？我有时怀疑我的声名。我只想好好写些作品，但往往写出了，就恨自己写得不好。我现在总想写好，不知道哪一天才能写好。

1992年4月

张之光画集序

"不可无一,不可有二"。

这是前人评价那个才情和尚苏曼殊的,我却喜欢用这句话说张之光。

我仅仅见过一次他,满满地坐在一个沙发里,肥脸细眼,总是没睡醒的样子。我不敢说我阅人多多,我总觉得,鬼狐成精似的能贯通一切的那些大智者往往都很愚的。我请教他有关画的学问,他也不善言辞,又多谈画外之事,我就觉得他最能体味到"知非诗诗,写来奇奇"的禅境。他有很怪的思维和体验,诚然并没死读那么多哲学的书。

当今画坛上如同别的艺术门类一样,都热衷卷入"新潮"时髦做"阳刚"狂士,之光则大模大样地治孤,一任散淡适意,这使他的画精神上向内心归宿,笔墨上极尽吝啬,几乎完全是要"得意忘言"了。每幅画似乎是在长长的苦夏之中一觉醒来,夕阳临窗,风过前庭,持一扇一壶独饮于矮凳,又饮得久了,然后方提了笔在那纸上慵懒地抹抹,画是出来了,画者呢,有一串拖鞋声踢踏踢踏远去了。

大漠太丰富了,归于一片空白,我琢磨这个看起来没有架势,没有激情,也永没有清醒的人,是不是总活在他的白日梦里?时间和空间没有区别,他只有他的梦,他已经在梦里耗费了很多精力,现在只是追忆而已。

黑夜中的一点灯笼,照见的是万物中的一处,我们或许知道万物是那一处的背景和内涵,但一点灯笼若是在白天,仍能看到的是灯笼和灯笼所照的一处,则只有之光了。

这就是他的画。

他的画是他的心迹和灵迹,所以他无所谓什么题材,一切都是灵性之载体,即使随便抹一下,都能看出他的精神,这就像一个大的文学家的一张留言条都能看出是文学家一样。

我最欣赏的更是画中的艺术家的那一种启悟的心态,流水心不竞,云在意俱迟,这种对于宇宙自然的理解,对于时空的理解,对于人生和艺术的理解,散发着古气,又充满了现代人的气息。我于是想到陶渊明。做"阳刚"狂士是时髦,学陶渊明的人也不少,但都有意为之,"悠然见南山"而不是"抬头见南山"的又有多少呢?

所以我说,画风在某种程度上讲实在是一种情操的显现。

当然,同一切艺术一样,愈是有个性的东西,长处和短处几乎同时存在,张之光的画不能到处充斥,这也不可能,我相信,他的艺术是靠征服而存在的,时间会塑造了他的形象。

何海霞画集序

那一年,当我从乡下搬居来西安,正是何海霞从西安迁居于北京;京城里有了一位大师,秦都乃为之空旷。

我们同存于一个时代,却在一个完整的城墙圈里失之交臂而过,这是我活人的幸运和遗憾。登临华山,立于下棋亭上,喝干了那一壶"西凤",听谁个粗野的汉子狼一般地吼着秦腔,我就觉得棋亭里还坐着赵匡胤和那个陈抟,我不知道了赵匡胤是不是了何海霞,还是何海霞就是了陈抟,我仰天浩叹:他为什么要离开西安呢?

哪里黄土不埋人,长安自古难留客,何海霞走了,古城墙里却长长久久地流传着关于他诸多的神话。

已经是很不短的时间了,热闹的艺坛上,天才与小丑无法分清。不知浪潮翻过了多少回合,惊涛裂岸,沙石混沌,我们并未太多地在报纸上、电视上见过何海霞;但京城消息传来,他还在活着,他还在作画。好了,活着画着,谁也不多提他,提他谁也心悸。百鬼多狰狞,上帝总无言。他的艺术是征服的艺术,他的存在是一种震慑。

面对着他的作品,我无法谈论某一方面的见解,谈出都失水准,行话全沦为小技,露出我┄┄副村相了。我只想到项羽,力举千鼎,气盖山河。它使我从病痛中振作,怯弱生勇,改造我的性格。这个时代有太多的委琐,也有太多的浮躁,如此大的气势和境界,实在少之甚少,是一个奇迹。

打开他的画册,我曾经独坐一个晌午又一个晌午,任在那创造的大自然里静定神游,做一回庄子,化一回蝴蝶。但是,当我第一次看到他的近照,枯老羸瘦,垂垂暮年,我感觉到了一个寂寞的灵魂。啊,正是精神寂寞,他才有大的艺术。

知非诗诗,未为奇奇,海是大的,大到几乎一片空白,那灿烂的霞光却铺在天边,这就是何海霞。真正的中国的山水画,何海霞可能是最后的一个大家。

1992年5月3日夜草

答《生活》杂志编辑部问

问：您的《废都》在今年下半年即将面世，您可否透露一下创作该书的具体情况？《废都》主要寄寓一种什么思想？这种思想，您觉得在您自己的生活经历中产生的原因是什么？或者就《废都》中某一情节谈谈发生在您生活中的某些人和事。

答：一本书写出来，作者自己就不好谈了。在写作时，我并没有单一的主题，只有一个浑茫的走向，一个整体的把握，只想真实地记录一段生活。我没有去写史诗的欲望，只企盼能写出世纪末中的中国人的一段心迹。我喜欢废都二字，一个古都、故都、废都，其中有多少苍茫和悲凉的东西呢。我现在是四十一岁的人了，对于世事，应该说不惑，但我常常是在不适应中求适应而归于难适应，于无为中求有为到底无为。书是写好了，到底写些什么，写得怎么样，只能让读者去看吧，我现在只是一个厨子，在顾客吃饭时悄悄坐在一旁，静听笑骂评说。

问：《废都》的写成，您自己认为是不是问鼎诺贝尔文学奖的开始？

答：现在我最关心的是中国读者对这本书的反应。

问：有好多外国作家早上迷迷糊糊地从被窝里爬出来，到浴室里冲澡，忽然电话响起：他得了诺贝尔文学奖。您是不是有这种愿望,或者等待这一天?倘若有此一天,您将怎么样?

答:这都是上帝的事,上帝会安排一切的。

问:去年张艺谋的《秋菊打官司》没有获得奥斯卡金像奖的提名,国内骤然兴起一小股否认《秋》的议论,而我认为张没有得到提名,是说明奥斯卡金像奖本身有局限性。从这一点上联想,您的某篇好小说没有得到诺贝尔奖,能不能说诺贝尔奖本身的局限性?您认为一个中国作家最大的荣誉是什么?

答:我永远不会这么说的,诺贝尔奖是伟大的,但我对诺贝尔奖具体情况不了解,我不能信口议论。一个中国作家如果能赢得百分之八十的中国读者的喜爱,那就够荣誉了,因为全世界中国人这么多,连自己民族的读者都赢得不了,那是多悲哀的事。

问:在您的家庭及身边人中对您影响最大的人是谁?请讲讲他的故事。对您影响最大的事情是什么,能讲讲事情的经过吗?

答:是我的父亲,他的一生经历给了我对苦难的认识和一种奋斗的精神。对此我不愿多说,因为这是我的事,我自己知道我该怎么去做就行了。

问:您现在最需要的是什么,爱情、家庭、一部奔驰轿车,或者是某个荣誉?

答:缺什么就需要什么,没有最不最这个词。这会儿我需要的是吸烟。

问:生在陕西,您认为陕西男人最不平凡的性格是什么?

答:"死牛劲",不服输。

问:十多年过去,您成名了,您自认为现在的生活和从前的生活发生了什么大变化,而您个人与从前有什么不同?当下一个世纪到来时,您能否想象自己将生活在怎样的环境中,您自己将是什么样?

答:生活是发生了大变化,我依然是从前的我,只是难得清静。下一个世纪里,别人怎么过我也怎么过吧。

问:人们称您的作品"才子气"极重,您自认为如何?您自己怎样评价"才子气"?

答:我搞不清"才子气"是什么。久时不见熟人,见面了,有的说:嗨,胖了!有的说:怎么瘦了?我的眼睛看不见我的脸是胖了瘦了。

问:听说您很会看手相,您自己是怎么从手相上判断自己的?

答:我使用的那套不是看手相。很抱歉,我不能讲,这是秘密。

问:每个人都在寻找一种活法,而在如今生活中追求自由是一种共同的要求,您能说说自己在追求一种什么样的活法,以及您对自由有什么看法?

答:我是挑着鸡蛋筐子过闹市,不敢挤人,只怕人挤了我。最大的自由是心的自由。

问:抛开您自己的特点,您以为自己什么地方和路遥相似,什么地方和王朔相似,他们中间,您更赞赏谁,为什么?

答:沉稳相似于路遥,心理自在上类于王朔,如果更准确,我与他们小的地方都相似,大的地方全不同。不论是谁,比我长的地方我都羡慕。

问:您最喜欢和什么性格的人共事谈话?

答：无所谓最喜欢,什么样的人都可以。

问：从另一个角度上说,您现在最怕什么事,最讨厌什么人、什么事,您现在最遗憾的是什么?

答：最怕最讨厌那些以小人之心度我的。遗憾我理想的东西迟迟达不到。

问：您认为写作是件什么样的事?快乐的还是痛苦的,崇高的还是一般的,理想性的还是商业性的?

答：写作当然快乐。它使我面对永恒和没有永恒的局面。

问：《废都》有多少万字,您得了多少稿费?认为稿费的多少是不是衡量作品的好坏的标志?您想先当百万富翁,还是想先成为诺贝尔奖获得者?

答：《废都》四十余万字,稿费极少。虽然稿费也是"一分货一分钱",但绝不是衡量作品好坏的唯一标志。我并不贪财,财多了就不属于自己了,如果能成为诺贝尔奖获得者,那靠奖金就可以成为一个百万富翁嘛。

问：您现在是"长安影视制作公司创作中心"的主要成员,您认为这个集体与北京王朔他们的"海马"有什么不一样?您认为"长安"将在中国文化圈里起到什么作用?

答：一切等出了作品后再说,一切要别人去说。

问：您的下一部作品是什么?

答：不知道,现在只读书、养病、各处走走。

问：您看过我们的杂志后,认为我们有什么不足?最需要在什么地方改善?希望您为我们杂志的读者写几句话,好吗?

答:你们的杂志很好,如果面儿再宽些就更好了,而其中的照片印刷似乎欠清晰了。我不喜欢题写什么,那是领导和影视明星的事。我不敢教训别人或要求别人,我要读者读我的书,那我就只能尽力把书写好。

问:《废都》是文化人的写照,那么您对现在我们生活中的各种文化人怎么看,比如张贤亮下海,王朔猛勒稿费,以及贾平凹本人。

答:各人是各人的活法,能活下去,活得好,谁就怎么活。张贤亮下海是他能下,王朔勒稿费是他能勒下,贾平凹除了写作再不会干别的,写作了又拿不了高稿费,这是活该。

问:文人现在是个最能引起争议的群体,有人同情,有人赞美,有人骂,有人钦慕,请您结合自己谈一谈文人的弱点和命运,您认为现在大力提倡经济开放的形势,给文人提供的机会多,还是造成的危机多?现在当一个好文人、好作家与以前有什么不同的标准?

答:文人是天才和小丑的混合体,是上帝和魔鬼的作品,伟大而低贱,他最能吃到好果子,但总是吃不到。现在的形势下,危机和机会同等,就看具体人了,但既然是文人,最最关键是有好作品,有好作品了才能谈得上别的。

走向大散文

新时期文学以后,诗歌界、小说界发生了许多革命,唯散文界进度缓慢,虽然普遍地摈弃了杨朔模式,但又写得内容琐碎,文笔靡弱,典型的例子是处处可以看到"初为人妻"、"初为人母"等等的篇什,而这也正是为什么女散文家涌起的原因(这其中当然有杰出的女散文家)。

这种散文现象为什么会产生?

1. 它的社会原因。一个什么样的社会必然产生什么样的文学现象,而文学现象又反过来影响到社会。靡弱之风兴起,缺少了雄沉之声,正是反映了社会乏之清正。而靡弱之风又必然导致内容琐碎,不注重感情,或关注个人小感情,追求华丽形式,走向唯美。这种现象小说界也是,诗歌界也是,音乐界、美术界也是。

2. 散文界本身原因。散文界历来缺少真正的"理论批评",仅有的批评家,又都出名较早,建功立业于杨朔时代或新文学初期,所持的武器是或其基本思维还是旧式的,他们把散文还认为是"抒情的"、"艺术的"那一类,强调其境界优美,文笔优美。视野并没有开阔到中国古典散文,三四十年代中国散文、外国散文的范畴去。

3. 散文作者的原因。新文学时期初的散文大多是老人散文,回忆、悼念文字。一些当时中年作者,未能摆脱六十年代的影响,

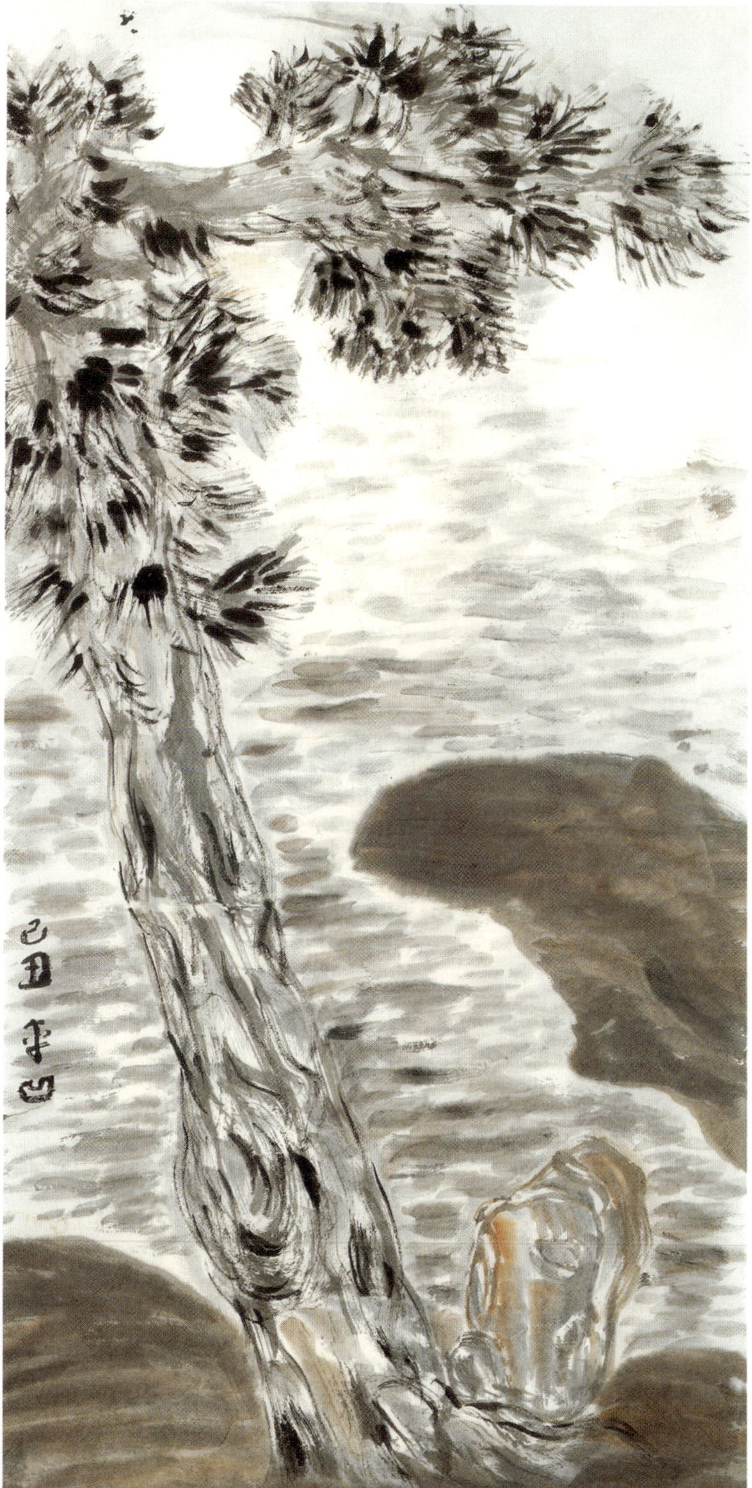
己丑平山

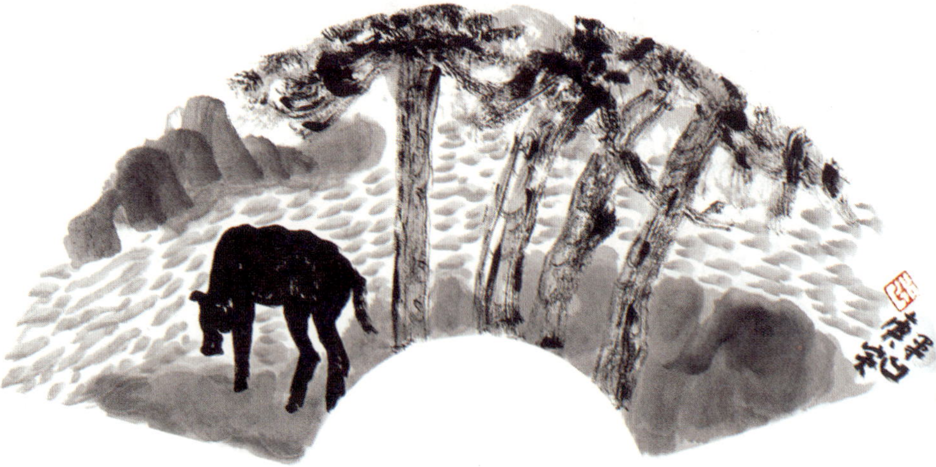

所以,曾一个时期,小说家、诗人、理论家以及别的领域的专家来写散文,散文似乎比专门写散文的人要好。但出现的真正的优秀散文并不多,又流于随意和轻率。

正是面对于散文的这种局面,我们提出"大散文"概念,散文若按字面来讲,不存在大与小的,但毕竟有它提出的背景,有它的针对性。"大散文"的提出并不想建立什么主义,只是凭一种感觉。兵法上讲,利器并不是指什么神刀神剑,而是指只要能杀了对方的东西都是利器。"大散文"的概念只要能为散文繁荣尽一份贡献,我们的目的也就达到了。

"大散文"概念提出的时候,我们的粗略想法是:

①张扬散文的清正之气,写大的境界,追求雄沉,追求博大感情。

②拓宽写作范围,让社会生活进来,让历史进来。继承古典散文大而化之的传统,吸收域外散文的哲理和思辨。

③发动和扩大写作队伍,视散文是一切文章,以不专写散文的人和不从事写作的人来写,以野莽生动力,来冲击散文的篱笆,影响其日渐靡弱之风。

我们以此进行探索,并有怡人实绩奉献,当然也有不尽如人意之处。

对音乐之见

我很少进音乐厅,也不大去听流行歌,但我常要一个人,坐下来,静静地听周围所发生的一切响动,觉得太是美妙的乐曲。小时候在乡间生活,多听到的是大自然的活动的声音,长大在都市,却多的是人的以及人为的声音。不平则鸣,声音是一种和谐作用,所以声音不存在美声和噪音。基于乡间和都市的四十多年生活,构成了我对世上声音的认识,从而又认识了社会,认识了时代,以及认识到了我自己。

有人收集世间万物之声再集中释放了给人听,这就是音乐家。我敬畏声音,也敬畏音乐家。音乐家从事的是第一流艺术,小说家只是小小地在说话,说话当然是音乐之一,但既是之一,所以沦为艺术的末流,是应该的。

《废都》后记

一晃荡,我在城里已经住罢了二十年,但还未写出过一部关于城的小说。越是有一种内疚,越是不敢贸然下笔,甚至连商州的小说也懒得作了。依我在四十岁的觉悟,如果文章是千古的事——文章并不是谁要怎么写就可以怎么写的——它是一段故事,属天地早有了的,只是有没有宿命可得到。姑且不以国外的事做例子,中国的《西厢记》、《红楼梦》,读它的时候,哪里会觉它是作家的杜撰呢?恍惚如所经历,如在梦境。好的文章,囫囵囵是一脉山,山不需要雕琢,也不需要机巧地在这儿让长一株白桦,那儿又该栽一棵兰草的。这种觉悟使我陷于了尴尬,我看不起了我以前的作品,也失却了对世上很多作品的敬畏,虽然清清楚楚这样的文章究竟还是人用笔写出来的,但为什么天下有了这样的文章而我却不能呢?!检讨起来,往日企羡的什么词章灿烂,情趣盎然,风格独特,其实正是阻碍着天才的发展。鬼魅狰狞,上帝无言。奇才是冬雪夏雷,大才是四季转换。我已是四十岁的人,到了一日不刮脸就面目全非的年纪,不能说头脑不成熟,笔下不流畅,即使一块石头,石头也要生出一层苔衣的,而舍去了一般人能享受的升官发财、吃喝嫖赌,那么搔秃了头发,淘虚了身子,仍没美文出来,是我真个没有宿命吗?

我为我深感悲哀。这悲哀又无人与我论说。所以,出门在外,总有人知道了我是某某后要说许多恭维话,我脸烧如炭。当去书店,一发现那儿有我的书,就赶忙走开。我愈是这样,别人还以为我在谦逊。我谦逊什么呢?我实实在在地觉得我是浪了个虚名,而这虚名又使我苦楚难言。

　　有这种思想,作为现实生活中的一个人来说,我知道是不祥的兆头。事实也真如此。这些年里,灾难接踵而来,先是我患乙肝不愈,度过了变相牢狱的一年多医院生活,注射的针眼集中起来,又可以说经受了万箭穿身;吃过大包小包的中药草,这些草足能喂大一头牛的。再是母亲染病动手术;再是父亲得癌症又亡故;再是妹夫死去,可怜的妹妹拖着幼儿又回住在娘家;再是一场官司没完没了地纠缠我;再是为了他人而卷入单位的是是非非中受尽屈辱,直至又陷入到另一种更可怕的困境里,流言蜚语铺天盖地而来……我没有儿子,父亲死后,我曾说过我前无古人后无来者了。现在,该走的未走,不该走的都走了,几十年奋斗的营造的一切稀里哗啦都打碎了,只剩下了肉体上、精神上都有着毒病的我和我的三个字的姓名,而名字又常常被别人叫着、写着、用着、骂着。

　　这个时候开始写这本书了。要在这本书里写这个城了,这个城里却已没有了供我写这本书的一张桌子。

　　在一九九二年最热的天气里,托朋友安黎的关系,我逃离到了耀县。耀县是药王孙思邈的故乡,我兴奋的是在药王山上的药王洞里看到一个"坐虎针龙"的彩塑,彩塑的原意是讲药王当年曾经骑着虎为一条病龙治好了病的。我便认为我的病要好了,因为我是属龙相。后来我同另一位搞戏剧的老景被安排到一座水库管理站住,这是很吉祥的一个地方。不要说我是水命,水又历来与文学有关,且那条沟叫锦阳川就很灿烂辉煌;水库地名又是叫桃曲坡,曲有文的含义,我写的又多是女人之事,这桃便更好了。在那里,远离村庄,少鸡没狗,绿树成荫,繁花遍地,十数名管理人员待我们又敬而远之,实在是难得的清静处。整整一个月里,没有广播可听,没有报纸可看,没有麻将,没有扑克。每日早晨起来去树林里掏一股黄亮亮的小便了,透着树干看远处的库面上晨雾蒸腾,直到波光粼粼了一片银的铜的,然后回来洗漱,去伙房里提开水,敲着碗筷去吃饭。夏天的苍蝇极多,饭一盛在碗里,苍蝇也站在了碗沿上,后来听说这是一种饭苍蝇,从此也不在乎了。吃过第一顿饭,我们就各在各的房间里写作,规定了谁也不能打扰谁的,于是一直到下午四点,除了大小便,再不出门。我写起来喜欢关门关窗,窗帘也要拉得严严实实,如果是一个地下的洞穴那就更好。烟是一根接一根地抽,每当老景在外边喊吃饭了,推开门直叫烟雾罩了你了!在吃过了第二顿饭后,这一天里是该轻松轻松了,就趿个拖鞋去库区里游泳。六点钟的太阳还毒着,远近并没有人,虽然勇敢着脱光了衣服,却只会狗刨式,只能在浅水里手脚乱打,打得腥臭的淤泥上来。岸上的蒿草丛里嘎嘎地有嘲笑声,原来早有人在那里窥视。他们说,水库十多年来,每年要淹死三个人的,今年只死过一个,还有两个指标的。我们就毛骨悚然,忙爬出水来穿了裤头就走。再不敢去耍水,饭后的时光就拿了长长的竹竿去打崖畔儿上的酸枣。当第一颗酸枣红起来,我们就把它打下来了,红红的酸枣是我们唯一能吃到的水果。后来很奢侈,竟能贮存很多,专等待山梁背后的一个女孩子来了吃。这女孩子是安黎的同学,人漂亮,性格也开朗,她受安黎之托常来看望我们,送笔呀纸呀药片呀,有时会带来几片烙饼。夜里,这里的夜特别黑,真正的伸手不见五指。我们就互相念着写过的章节,念着念着,我们常害肚子饥,但并没有什么可吃的。我们曾经设计过去偷附近村庄农民的南瓜和土豆,终是害怕了那里的狗,未能实施。管理站前的丁字路口边是有一棵核桃树的,树之顶尖上有一颗青皮核桃,我去告诉了老景,老景说他早已发现。黄昏的时候我们去那里抛着石头掷打,但总是目标不中,歇歇气,搜集了好大一堆石块瓦片,掷完了还是掷不下来,倒累得脖子疼胳膊疼,只好一边回头看着一边走开。这个晚上,已经是十一点了,老景馋得不行,说知了的幼虫是可以油炸了吃的,并厚了脸借来了电炉子、小锅、油、盐,似乎手到擒来,一顿美味就要到口了。他领着我去树林子,打着手电在这棵树上照照,又到那棵树上照照,树干上是有着蝉的壳,却没有发现一只幼虫。这样为着觅食而去,觅食的过程却获得了另一番快感。往后的每个晚上这成了我们的一项工作。不知为什么,幼虫还是一只未能捉到,捉到的倒是许多萤火虫,这里的萤火虫到处在飞,星星点点又非常的亮,我们从林子中的小路上走过,常恍惚是身在了银河的。

老景长得白净,我戏谑他是唐僧,果然有一夜一只蝎子就钻进他的被窝蜇了他,这使我们都提心吊胆起来,睡觉前翻来覆去地检查屋之四壁,抖动被褥。蝎子是再也没有出现的,而草蚊飞蛾每晚在我们的窗外聚会,黑乎乎的一疙瘩一疙瘩的,用灭害灵去喷,尸体一扫一簸箕的。我们便认为这是不吉利的事。我开始打磨我在香山拣到的一块石头,这石头极奇特,上边天然形成一个"大"字,间架结构又颇有柳公权体。我把"大"字石头雕刻了一个人头模样系在脖子上,当作我的护身符。这护身符一直系着,直到我写完了这部书。老景却在树林子里拣到了一条七寸蛇的干尸,那干尸弯曲得特别好,他挂在白墙上,样子极像一个凝视的美丽的少女。我每天去他房间看一次蛇美人,想入非非。但他要送我,我不敢要。

在耀县锦阳川桃曲坡水库——我永远不会忘记这个地名的——待过了整整一个月,人明显是瘦多了,却完成了三十万字的草稿。那间房子的门口,初来时是开绽了一朵灼灼的大理花的,现在它已经枯萎。我摘下一片花瓣夹在书稿里下山。一到耀县,我坐在一家咸汤面馆门口,长出了一口气,说:"让我好好吃顿面条吧!"吃了两海碗,口里还想要,肚子已经不行了,坐在那里立不起来。

回到西安,我是奉命参加这个城市的古文化艺术节书市活动的。书市上设有我的专门书柜,疯狂的读者抱着一摞一摞的书让我签名,秩序大乱,人潮翻涌,我被围在那里几乎要被挤得粉碎。几个小时后幸得十名警察用警棒组成一个圆圈,护送了我钻进大门外的一辆车中急速遁去。那样子回想起来极其可笑。事后我的一个朋友告诉说,他骑车从书市大门口经过时,正瞧着我被警察拥着下来,吓了一跳,还以为我犯了什么罪。我那时确实有犯罪的心理,虽然我不能对着读者说我太对不起你们了,但我的脸上没有一丝笑容。离开了被人簇拥的热闹之地,一个人回来,却寡寡地窝在沙发上哽咽落泪。人人都有一本难念的经,我的经比别人更难念,对谁去说?谁又能理解?这本书并没有写完,但我再没有了耀县的清静,我便第一次出去约人打麻将,第一次夜不归宿,那一夜我输了个精光。但写起这本书来我可以忘记打麻将,而打起麻将了又可以忘记这本书的写作。我这么神不守舍地挨着日子,白天害怕天黑,天黑了又害怕天亮。我感觉有鬼在暗中逼我,我要彻底毁掉我自己了,但我不知道我该怎么办。这时候,我收到一位朋友的信,他在信中骂我迷醉于声名之中,为什么不加紧把这本书写完?!我并没有迷醉于声名之中,正是我知道成名不等于成功,我才痛苦得不被人理解,不理解又要以自己的想法去做,才一步步陷入了众要叛亲要离的境地!但我是多么感激这位朋友的责骂,他的骂使我下狠心摆脱一切干扰,再一次逃离这个城市去完成和改抄这本书的全稿了。我虽然还不敢保证这本书到底会写成什么模样,但我起码得完成它!

于是我带着未完稿又开始了时间更长更久的流亡写作。

我先是投奔了户县李连成的家。李氏夫妇是我的乡党,待人热情,又能做一手我喜爱吃的家乡饭菜。一九八六年我改抄长篇小说《浮躁》就在他家。去后,我被安排在计生委楼上的一间空屋里。计生委的领导极其关照,拿出了他们崭新的被褥,又买了电炉子专供我取暖,我对他们的接纳十分感激,说我实在没法回报他们,如果我是一个妇女,我宁愿让他们在我肚子上开一刀,完成一个计划生育的指标。一天两顿饭,除了按时去连成家吃饭,我就待在房子里改写这本书,整层楼上再没有住人,老鼠在过道里爬过,我也能听得见它的声音。窗外临着街道,因不是繁华地段,又是寒冷的冬天,并没有喧嚣。只是太阳出来的中午,有一个黑脸的老头总在窗外楼下的固定的树下卖鼠药,老头从不吆喝,却有节奏地一直敲一种竹板。那梆梆的声音先是心烦,由心烦而去欣赏,倒觉得这竹板响如寺院禅房的木鱼声,竟使我愈发心神安静了。先头的日子里,电炉子常要烧断,一天要修理六至八次;我不会修,就得喊连成来。那一日连成去乡下出了公差,电炉子又坏了,外边又刮风下雪,窗子的一块玻璃又撞碎在楼下,我冻得捏不住笔,起身拿报纸去夹在窗纱扇里挡风;刚夹好,风又把它张开;再去夹,再张开,只好拉闭了门往连成家去。袖手缩脖下得楼来,回头看三楼那个还飘动着破报纸的窗户,心里突然体会到了杜甫的《茅屋为秋风所破歌》的境界。

　　住过了二十余天,大荔县的一位朋友来看我,硬要我到他家去住,说他新置了一院新宅,有好几间空余的房子。于是连成亲自开车送我去了渭北的一个叫邓庄的村庄,我又在那里住过了二十天。这位朋友姓马,也是一位作家,我所住的是他家二楼上的一间小房。白日里,他在楼下看书写文章,或者逗弄他一岁的孩子;我在楼上关门写作,我们谁也不理谁。只有到了晚上,两人在一处走六盘象棋。我们的棋艺都很臭,但我们下得认真,从来没有悔过子儿。渭北的天气比户县还要冷,他家的楼房又在村头,后墙之外就是一眼望不到边的大平原,房子里虽然有煤火炉,我依然得借穿了他的一件羊皮背心,又买了一条棉裤,穿得臃臃肿肿。我个子原本不高,几乎成了一个圆球:每次下那陡陡的楼梯就想到如果一脚不慎滚下去,一定会骨碌碌直滚到院门口去的。邓庄距县城五里多路,老马每日骑车进城去采买肉呀菜呀粉条呀什么的。他不在,他的媳妇抱了孩子也在村中串门去了。我的小房里烟气太大,打开门让敞着,我就站出在楼栏杆处看着这个村子。正是天近黄昏,田野里浓雾又开始弥漫,村巷里有许多狗咬,邻家的鸡就扑扑棱棱往树上爬,这些鸡夜里要栖在树上,但竟要栖在四五丈高的杨树梢上,使我感到十分惊奇。

二十天里,我烧掉了他家好大一堆煤块,每顿的饭里都有豆腐,以致卖豆腐的小贩每日数次在大门外吆喝。他家的孩子刚刚走步,正是一刻也不安静地动手动脚,这孩子就与我熟了,常常偷偷从水泥楼梯台爬上来,冲着我不会说话地微笑。老马的媳妇笑着说:"这孩子喜欢你,怕将来也要学文学的。"我说,孩子长大干什么都可以,千万别让弄文学。这话或许不应该对老马的媳妇说,因为老马就是弄文学的,但我那时说这样的话是一片真诚。渭北农村的供电并不正常,动不动就停电了,没有电的晚上是可怕的,我静静地长坐在藤椅上不起,大睁着夜一样黑的眼睛。这个夜晚自然是失眠了,天亮时方睡着。已经是十一点了,迷迷糊糊睁开眼,第一个感觉里竟不知自己是在哪儿。听得楼下的老马媳妇对老马说:"怎不听见他叔的咳嗽声,你去敲敲门,不敢中了煤气了!"我赶忙穿衣起来,走下楼去,说我是不会死的,上帝也不会让我无知无觉地自在死去的,却问:"我咳嗽得厉害吗?"老马的媳妇说:"是厉害,难道你不觉得?!"我对我的咳嗽确实没有经意,也是从那次以后留心起来,才知道我不停地咳嗽着。这恐怕是我抽烟太多的缘故。我曾经想,如果把这本书从构思到最后完稿的多半年时间里所抽的烟支接连起来,绝对地有一条长长的铁路那么长。

当我所带的稿纸用完了最后的一张,我又返回到了户县,住在了先前住过的房间里,这时已经月满,年也将尽,"五豆"、"腊八"、二十三,县城里的人多起来,忙忙碌碌筹办年货。我也抓紧着我的工作,每日无论如何不能少于七千字的速度。李氏夫妇瞧我脸面发胀,食欲不振,想方设法地变换饭菜的花样,但我还是病了,而且严重地失眠。我知道一走近书桌,书里的庄之蝶、唐宛儿、柳月在纠缠我;一离开书桌躺在床上,又是现实生活中纷乱的人事在困扰我。为了摆脱现实生活中人事的困扰,我只有面对了庄之蝶和庄之蝶的女人,我也就常常处于一种现实与幻想混在一起无法分清的境界里。这本书的写作,实在是上帝给我太大的安慰和太大的惩罚,明明是一朵光亮美艳的火焰,给了我这只黑暗中的飞蛾兴奋和追求,但诱我近去了却把我烧毁。

腊月二十九的晚上,我终于写完了全书的最后一个字。

对我来说,多事的一九九二年终于让我写完了,我不知道新的一年我将会如何地生活,我也不知道这部苦难之作命运又是怎样。从大年的三十到正月的十五,我每日回坐在书桌前目注着那四十万字的书稿,我不愿动手翻开一页。这一部比我以前的作品能优秀呢,还是情况更糟?是完成了一桩宿命呢,还是上苍的一场戏弄?一切都是茫然,茫然如我不知我生前为何物所变、死后又变何物。我便在未做全书最后的一次润色工作前写下这篇短文,目的是让我记住这本书带给我的无法向人说清的苦难,记住在生命的苦难中又唯一能安妥我破碎了的灵魂的这本书。

1993年正月下旬

与田珍颖的通信(一)

一、"上帝无言"句,自何时始,十分欣赏?

在我四十岁的时候,我在古书中读到此句,原句为"百鬼狰狞,上帝无言"。初读时怦然心动,过后越嚼越有味,再不能忘。

二、"废都意识"的含义是什么?

我欣赏"废都"二字,一个"废"字,有多少世事沧桑!作为一个都,而如今废了,这其中能体现这都中人的一种别样的感觉,我不能具体说出,但我知道那味儿。西安可说是一个典型的废都,而中国又可以说是地球格局中的一个废都,而地球又是宇宙格局中的一个废都吧。这里的人自然有过去的辉煌和辉煌带来的文化重负,自然有如今"废"字下的失落、尴尬、不服气又无奈的可怜。这样的废都可以窒息生命,又可以在血污中闯出一条路子。而现在,就是一种艰难、尴尬的生存状况。我写作常常对社会、人生有一种感悟,却没有明确的、清晰的判断和分析,就模糊地顺着体悟走,写成什么是什么,不求其概念之圆满,只满足状况之鲜活。

三、在你的笔下,庄之蝶是有觉悟的,那么,龚、阮、汪之流,算哪一类人?

龚、阮、汪只是生存的状态,他们是觉悟的庄之蝶的环境,他们促成了庄的堕落,也帮助了庄的觉悟,而他们更走不出废都,他们在废都中活得自如,也因此烂掉在废都。

四、《废都》无章节之序号,在结构上有何考虑?

无章节之序号是我特意处理,我的感觉中,废都里的生活无序、混沌、茫然,故不要让章节清晰,写日常生活,生活是自然的流动,产生一种实感,无序,涌动。所以,在我写作中完全抛开了原来的详细提纲,写到哪儿是哪儿,乘兴而行,兴尽而止。

五、你有一篇中篇小说,也用了《废都》之名,为何独独钟爱这个名字?

原因在上边之二中谈到。以前的中篇《废都》之内容与现在长篇不同。沿用此名是我对身处的时代、社会、人生之近一个时期的困惑和思考。"废都"二字有地理意义,更有时代意义,所谓的废都意识初看似乎不符合当今政治宣传,但绝不是消极。我自信我有悲天悯人之情,但我不愿那种概念式的图解小说,我力寻一个角度,从男男女女事之中之后去获得社会、人生的东西。电影界的导演我欣赏张艺谋,而叹息陈凯歌,我曾说:张艺谋二指拨千斤,陈凯歌大炮打蚊子,要举重若轻。中国文坛向来崇尚史诗,我更喜欢心迹。

六、阿灿的出现,不细读,是难以觉察你的用意;细读后,也还不敢贸然结论。那么,你写阿灿,是信笔所至,还是有意安排?这个人物的出现,就庄之蝶的形象,有何益?

阿灿是女人群的别一种,她的出现,一是为了庄之蝶的生活的自然,而减弱庄与女人们故事之有意为之的嫌疑。更是为了庄在追求美好之时而陷入丑恶,又在丑恶中追求美好的惊悟与转折。

我写了她的肉香,写时我口鼻也能闻见这种香(我写作时常处于幻觉中。或许我是个神经质分子,往往看电视看到恶心的场面,鼻子里就能闻着一种臭气。所以,我对气功界的说××带气写字、作画,看了能健身之说持否定,我认为他无所谓带功作画,而是一切东西都有功,悦耳目的东西都有好的气场,丑恶东西都有坏的气场)。

与田珍颖的通信(二)

一、为什么《废都》中女性多为褒扬之笔而又多为悲剧下场?

初提这问题,我有些吃惊,因为在写作时并未刻意要这样做,这么一提,回头一想,也是这么回事。为什么会与以前的作品不同呢?我想了想,恐怕是我在不知不觉中的一种人生观念的变化吧。以前的作品,我对女性是崇拜型的,有评论家说我笔下的女性都是菩萨。我人到四十,世事也看得多了,经得多了,既然《废都》是我要表现世纪末的中国人的一种真实的生活情绪,涉及女性,必然有我的人生观的投影。书中的女性主调我依然是饱满了激情爱她们,她们的所作所为或许在当今社会的有些人眼目中是要斜视、嗤之以鼻或作另外判断的,但我不这样看,我看到的是她们的鲜活的生命和她们的生存方式的本身。我不愿作黑与白式的道德评价。我没有更多的激愤,我也不想把人物依附于一定阶级旨归的政治思想。这样,在目前的俗世里,这样的人物必是要处于尴尬之境,人生之尴尬能使她们下场好吗?我在写作时全然没有固定某人物要写成什么样子,我只是定下调子后往下写,书中的几个女性在随着她们的性格走,走着走着不能按性子走下去了,不允许那么自在自为了,她们的悲剧就出现了,为什么走不下去?那就看看她们身前与身后。书中几个女性反差并不大,我不愿用大反差,现实中人

高原　平四　壬午冬

平山乙丑
對松

与人有多大反差呢?

二、对庄之蝶的结局安排,为什么如此而不让去海南?

庄之蝶在他的人生进入一定层次后,俱来的是一种苦闷,他总被什么阴影笼罩,他是一个有觉悟的人,但觉悟了更苦闷。他是一心要走出废都,但他走不出去,所以让他人已到了火车站而倒下了(并未点明死。我有个预感,不能让他死)。原写去海南,后更动。像他这样的人,去了或许比废都更觉得糟糕。庄之蝶是个闲人,他的一生在创造,同时在毁灭着,对待女人亦是如此,所以他害了许多女人。他是这个时代的悲剧。

三、四大闲人用笔重的是庄之蝶,如果同时以四人为线索,会是什么结果?有过这样设想吗?

现以庄为重笔,是一个角度,主写他和他的女人,别的全成为背景。起先想过以四人为线索,那结构太大,字数将太大,考虑长篇太长读者会厌烦,故只集中写庄之蝶,我看有材料留下以后去写。我对书画家、戏剧家生活之熟悉,可以说比作家还要熟的。但是,作为要反映"废都意识",我接触的书画家及戏剧家反倒没作家来得深刻,故如今以庄之蝶为线索了。

四、四大闲人,与《红楼梦》中的四大家族,在构思中是否有结构上的关联,即写四大闲人,是否受《红》之启示?

写时并没作这样关联,写出初稿后,有朋友看了,也提这问题,我噢了一声,说:这不有嫌疑了?但一切都来不及了。写四闲人,是我熟悉的四个类型,而《红》中四大家族仅仅是个交代。"四"是中国人的一个习惯思维数字,四、六都是取"全面"的意思。八大山人取名也是"四方四隅以我为大"之意。可以说,没有什么关联。初稿写成后,我曾想避嫌,减一或增一,后又一想,一是那就得大调整,二是我用个"四"又何妨,难道有《红》,我就不敢用"四"吗?

五、报载:《废都》为"当代《红楼梦》",你对此如何看?

报上这消息是一个作家去看我时谈到正写作的《废都》,他的看法,不想在一个小文章中提了出来。我的看法是:万万不能如此说。《红楼梦》是伟大的。我写《废都》时没有这么想过这部作品是什么,写完后也没有这么想过,我面对的只是《废都》,想的只是把它写好。别的话对我毫无意义。

六、评论界目前已开始评《废都》,你听到哪些评论?你怎样看待这些评论?

耳闻的评论很多,空口无凭,不便引用。看到文字的有曾镇南的、缪俊杰的、李炳银的等,报纸上有些报道中引用了一些评论。

对于评论家的评论和读者的反响,我是很重视的,毁誉褒贬皆可听取。我在《废都》扉页上有四句话,其中第三句是"唯有心灵真实",这也算做我写这本书的态度吧!

《埙乐》前言

我是贾平凹,当你听见我的声音,我们就应该是心领神会于废都的城门洞里了。不要以为我是音乐家。我只懂一二三四五六七,并不识"哆、来、米、发、索、拉、希"。我也不会唱歌,连说话能少说就尽量少说。但我喜欢埙,它是泥捏的东西,发出的是土声,是地气。现代文明产生下的种种新式乐器,可以演奏华丽的东西,但绝没有埙那样虚涵着的一种魔怪,上帝用泥捏人的时候,也捏了这埙,人凿七窍有了灵魂,埙凿七孔有了神韵。我们录制的这盒音带,原本是我们几个人夜游古城墙头的作乐(yuè),我们作乐不是为了良辰美景,也不是要做什么寻根访古,我们觉得发这样的声响宜于废都,宜于身心,好啦,我不用再多说啦,口锐者,天钝之,目空者,鬼障之。《废都》是不用说废话的,还是听埙的土声地气吧。

在西大受聘答谢辞

尊敬的校、系领导,各位老师、各位同学:

站在这庄严的地方,我非常激动。一九九三年四月二十七日,这一天对我的一生意义非同,我将刻骨铭心,终生难忘。

西北大学是伟大的学校,光荣的学校,我曾经是这个学校的学生出去,现在又作为兼职教授回来,其中二十年岁月,回首人生的艰辛,世事的沧桑,不能不让我万千感慨!我姓贾,贾字上半部旁西,下半部旁为北(贝),命运的不可知中却隐隐地暗示着我与西字的有关,陕西,西安,现在又受聘于西北大学。能到西大来,这是命运所致,是幸运所得。

我是一个很普通的人,学问浮浅,口拙舌憨,形容不佳,体弱多病,校领导和系领导如此厚爱,使我感动。现虽受聘,但面对西大,面对各位老师,我要说,我过去是学生,现在和将来永远都是学生。我在外是作家,虽然我一直希望我能成为一个作家,但我不敢说我现在就是个合适的真正的作家,充其量仅仅是还能写点文章而已,我之所以愿意接受聘用,我希望有一个让我继续深造的环境气氛,这高等学府的空气对我十分重要。如果我以后还能为西大做点什么,我也是把母校教给我的东西再贡献给母校!

我永远会提醒我尽力去做合格的人,做我的学问!

我是个不善于社交和应酬的人，面对着各位领导、老师、同学，我感到亲切感到自在，这里不需要我说过多的套话，我深深为大家鞠一躬，以表示我诚挚的感激之情！

  1993年4月27日下午4时

一次谈话

笔者：上海的小三、北京的老八都在报上著文称：《废都》风行一时完全是新闻界及你的哥们弟兄炒出来的，对此说你有何评价？

平凹：《废都》出版之前，我并未发表过有关《废都》的文章，除了一篇行踪报道的小文章外，我所认识的朋友也未有什么鼓吹文字。上海的小三、北京的老八，以及有同类观点的人，他们的气似乎很大。不依据事实而这么气大，不知为什么？我向来不到热闹的地方去，突然间一下子竟成了天下第一炒手！关于"《废都》是当代《红楼梦》"的话，我没有说过，我认识的人也没有说过。攻击我的人往往自己造一个借口，令人不寒而栗。那篇唯一报道我行踪的小文章是一个认识的朋友出于针对当时纷纷扬扬说我婚姻之事而以正视听的，其中是说到我在某地写一个叫《废都》的作品。后来有"《废都》稿酬一百万"之说，是许多报纸在转载，但那作者不但不是我的朋友，还差点闹到我去打官司，当时我为此吃了苦头，没想现又成了我的有意为之。严格讲，我至今还不明白何谓之"炒"？我身居偏远之地，不控制报刊，无派无流的依靠，想"炒"也炒不出来。《废都》一出版，即没有我和我的所谓"哥们弟兄"炒的地方，我是逃离了西安去四川，在一座山上"独坐幽篁"，一段时间的沸沸扬扬之后，今天我才第一次露面说几句话了。

笔者: 对于《废都》各层各界读者众说纷纭,各地报刊也发表了许多议论评述,但唯独评论界人士默不作声。这种唯评论家缺席的状况似乎新时期文学史上还不曾有过,有人说评论家有一个什么"契约"在焊着他们的口,对此你有何看法?

平凹: 评论家并未缺席,《陕西政协报》发表过一版作家、评论家的观点。湖南的《湘声报》、《金陵晚报》、《当代作家评论》也发表了评论。

笔者: 据说,一九九一年在美国访问时,有人要你留下主编一家报纸,你却携带妻子跑回来了,这或许是你的爱国行动。现在如果还有人叫你到外边去办文化事业,你还会拒绝吗?

平凹: 一九九一年那时能携妻回来,也不必上升到是爱国行动,现在如果有人让我出去办文化事业,也不一定就是不爱国了,我可以说对中国传统文化浸淫得比一般同龄人要多一点点,也正于此,我越是爱它,就越看到它的痼疾处,一位评论家说《废都》是写中国传统文化为何在现时不适应,是写最后一个传统文人的消亡过程的,他当然是他的一个角度,我听了也觉得有其道理。

笔者: 据闻,香港、台湾、韩国、日本等地区和国家即将推出《废都》异地版,又闻有人在争取英文翻译权和投资拍摄影视,这些是你的哥们"炒"出来的还是真事?

平凹: 请原谅,对此我无言相告。我只说一句,我从不炒自己,不是说炒就不对,是我不会,也没有什么哥们为我炒,尤其现在更没人来炒了。一切是真是假,成为现实后都是真事,没有结果的都是假的。

关于小说创作的答问

韩鲁华：你小说中的艺术形象很特殊，除一般说的人物形象外，你作品中的山、石、水、月、动物、和尚等等构成了另一形象形态。请你从整体上谈一谈你创作时的构想。最好从理论上阐述。

贾平凹：我对理论不懂，知道的不多，只是偶然听一点，读一点。我觉得你从人物形象和其他艺术形象角度提问题，比单一说人物形象好。在我的创作中，我平常是这样想的，小说发展到今天，变化很大。十九世纪前的小说主要是塑造人物形象。后来越发展越杂琐了。现在都在说符号学，对符号学我有我的看法。譬如说《诗品》，特别是《易经》，就是真正的符号学。《易经》谈到每一卦都有一个象。整个有一个总象。对于文章，严格地说，人和物进入作品都是符号化的。通过象阐述一种非人物的东西。主要起这种作用。当然，这种作用各人追求不同。对于我来讲，不是所有的作品都是这样。开始时，我并不是这样，只是近年来才自觉起来。或者说，我开始的追求还不自觉。有一个气功师对我说过，为啥算卦时能预测别的遥远的事情，这和打仗一样。譬如咱们坐在这房子里，书桌在这儿，茶几在那儿，你坐这，我坐这，等等吧。这一切是具体的物象。但具体的物象是毫无意义的。现实生活中琐琐碎碎的事情都是毫无意义的。这时，突然有一个强盗闯进来，抢东西了,枪一响,就像算卦一样,开始算卦了。按气功师说,场就产生了,这里所有的东西都成了有意义的。桌子或许成了制高点,茶几成了掩体,等等。这样一切都成了符号。只有经过符号化才能象征,才能变成象。《易经》里讲象,譬如说,"仰观象于玄表",抬头看时要取这个象,从哪儿取?从天上的日月星辰,象在天上。"俯察式于群形",群形就是杂七杂八的琐碎事情。从这些杂七杂八的东西中得到你的形式。但象就等于哲学的东西,高一层的东西,就要向高处,向天上看。譬如太阳象征个啥,月亮象征个啥,一切都是从象上取。所以,就人吧、物吧,我写的时候尽量写日常琐碎,但你有意识把这些东西往象征的方面努力。

韩鲁华: 我们在读你的小说时,感觉到你在叙述中把现在理论上谈的各种视角都使用了。整体上造成一种多视角的审美效果。这方面,请你谈一下自己的想法。

贾平凹: 关于视角,我着重谈一点。严格地说,我是一九八五年以后,这方面才慢慢自觉起来的。做得还不是很好。我看一些评论文章,说我转换角度呀,或者说有陌生感、间离感,等等。我现在不谈具体的叙述视角,大而化之来谈这个问题。从大的方面组建一篇文章,也是集中在一点上,就是我刚才说的取象问题。我最近写一些东西,《浮躁》里也牵扯到一些。里面不停地出现佛、道、鬼、仙等这些杂七杂八的东西。我是想从各个角度来看一个东西。譬如写杯子,我就从不同角度来审视。最近写的长篇我就从佛的角度、从道的角度、从兽的角度、从神鬼的角度等等来看现实生活。从一般人的各个层面来看现实生活,这是必然的,不在话下。一句话,从各个角度来审视同一对象。为啥会这样?我为啥后来的作品爱写这些神神秘秘的东西?叫作品产生一种神秘感?这有时还不是故意的,那是无形中就扯到这上面来的。我之所以有佛道鬼神兽树木等,说象征也是象征,也是各个角度。不要光局限于人的视角,要从各个角度看问题。当然,这里面有我的原因,有生活环境的原因。因为我从小生活在山区,山区一般装神弄鬼这一类事情多,不可知的东西多。这对我从小时起,印象特别多,特别深。再一个是有一个情趣问题。有性格、情趣在里面。另一个是与后天学习有关。我刚才说的符号学、《易经》等等的学习。外国的爱阐述哲理、宗教等,咱不想把它死搬过来,尽量把它化为中国式的。把中国的外国的融化在一起,咱的东西就用上了,譬如佛呀道呀的。现在不是讲透视么,透视拍片子,就要以不同角度拍,才能诊断准确。才能把病认清、认准。我想弄文章也是这样,尽量多选几个角度叙述,不要叫文章死板,要活泛一点,读者读时才有味。一种角度死把死的,一个调子,人都没个喘口气的机会。正这样说哩,又换个角度,让人换个口味,哎,人们从中得到另一种情趣,另一种享受。是不是美的享受,我就不敢说了,反正我是朝这方面努力的。内涵么,也相应地多一些。不要太单,单了不好,人一眼就看透了,没啥意思。叫人大口吃一阵,也慢慢嚼几口,精神放松一下,老处于紧张状态,那,把脑子里的弦都绷断了。

韩鲁华: 叙述视角和结构紧密相连。有人把你的小说结构从总体上归结为线性结构、网络结构、块状结构、解构结构等等几种,你是怎样看待这个问题的?

贾平凹:我觉得线性结构和网络结构,看你咋个弄法,看是单线还是复线。恐怕网络也属于线上的问题。块状结构,我后来不叫块状,叫团块结构。在我的想象中,中国的小说一般都是线性结构,外国一般更多的是块式结构。我给一个二胡演奏家写过一篇文章。他的二胡曲子有些是自己写的。他的曲子是块状的。用线条把这个块状串联起来。对块状和线条结合起来这种东西,我特别感兴趣。因为块状有一种冲击力,线状它有一种轻柔的东西。但它又不是冰糖葫芦式,冰糖葫芦还太小了。块状结构就像冰山倒那种情景,一块子过来了,就像泥石流一样,你能想象得来那种气势。线主要是白描,中国小说一般都是白描性的。

再就是解构结构。这主要是《妊娠》那一组。我把当时写作情况说一下,你看能用不能用。《妊娠》就是用这一种方法。为啥能产生这种想法?这里有一件事。我看过四川一个画像石。我对这个画像石感兴趣。严格讲,中国的画像石是平面结构,叫三维空间,把一切都摆平,拓展开来,就像地图一样。这个方法特殊。我当时还临摹过,当然不是按人家的临摹,而是把人家的结构重画一下,进行分析。它画个大院子,有四个院墙,有个大门,院子里分成了几块子。它看的角度,不像油画,或者一般绘画角度,不是焦点透视。它那是,画这一堵墙是站在这边看,画那一堵墙的时候,又是从那边看,到这边又是从高处往下看那些院子里的鸡、羊、楼房的结构。它是从前后左右上下,各个角度看的。我从中受到启发。写《妊娠》的时候,就想从各个角度来透视。

到了《五魁》这一组时,主要是从心理上、心态上写,是一种心理结构。这和以前不一样。以前很少有心理描写。这一回心理描写,成几段几段往下弄,分着层次往下写,把人的心理抛出来写,这以前没有过,这种现象,也可以说是一种感觉。我这样弄想冲淡传奇。这一组作品由于题材所限,弄不好就成了传奇,太传奇了就容易坠入一种庸俗化。我不想陷入通俗小说里面去。所以,后来一个刊物选我的作品,把心理描写都给我删了,光剩故事,味道全变了。

回顾我整个的写作,严格地讲,开始的作品单得很,单、浅。那都是围绕个啥事情,脑子里产生一个啥东西,围绕那一个东西展开。用你们的话说,就是围绕一个焦点来结构文章。后来就不那样弄了。我最近正写的一个长篇,后来提纲全部推翻了。写开以后,就不按原来的提纲来了。明天写啥,今天还不知道。主要写日常生活,日常生活没有一个啥具体的东西规定。有人说过,好作品用两句话就能说清。后来也有人说过,好作品咋说都说不清。我后来写东西,尽量故事情节两句话就能说清,但内涵上,到底要说啥,最好啥也说不清。有时作家也说不清,是模糊的。意象在那指着,但具体也给你说不出来。

韩鲁华:你小说的语言独具风格,有一种别致韵味。有人说它是古典意境与现代情致有机结合,文化意蕴与哲学内涵相统一,人生意义与生命流动相融合。在表现上是文白相间,长短错落,雅俗共存,等等吧。你创作时,对语言是咋认识的?

贾平凹:这还谈得好。现在我谈一下我对语言的看法。这方面我有一套看法,不一定准确。但我确实是这样过来的。我理解语言整个是一种心的自然流露。啥人说啥话。现在有好多人模仿海明威,但没有模仿成功的。中国作家也都学川端康成,但弄不出川康端成那种味。我觉得语言是一个情操问题,也是一个生命问题。啥是好语言?我自己理解,能够准确传达此时此刻或者此人此物那一阵的情绪,就是好语言。好语言倒不在于你描写得多么华丽,用词多么丰富,比喻多么恰贴。啥都不是。只是准确表达特殊环境的真实情绪。所以,正因为遵循这一原则,我反对把语言弄得花里胡哨。写诗也是这样,一切讲究整体结构,整体感觉。不要追求哪一句写得有诗意。越是语言表面上有诗意,越是整个诗没诗意,你越说得白,说得通俗,说得人人都知道,很自然,很质朴,而你传达的那一种意思、那一种意念越模糊。语言的长短、轻重、软硬这些东西,完全取决于气,要描述人或物时的情绪的高低、急缓。情绪能左右住你的语言,该高就高,该低就低。但怎样传达?我谈一点自己的看法。一方面,你写东西时,在于搭配虚、助词,还有标点符号。中国的那些字,就靠虚、助词在那搭配,它能调节情绪,表达情绪。这也就有了节奏。再一个就是语言要有一种质感。状词、副词、形容词用得特别多,不一定是好语言。比喻再漂亮,你总觉得飘得很,它的质感不够。语言的质感这东西你还说不出来,但你能感觉出来。好像手摸到汉白玉上和摸到木扶手上,感觉就不一样。我的理解,要把质感提起来,应用好动词。有时你用一大串串子话作比喻,不如一个动词解决问题,动词有时空感,容量大。一个动词,把整个意思都提起来了。

韩鲁华:有人把你称作当代的文体家,说你把当代小说中出现的文体,都试验过了。请你谈谈对这方面的看法。

贾平凹:关于文体,我觉得有这么一个问题。我一直认为,不说外国的,只说中国历史上,现代、当代的小说家,或叫文学家,基本上可以分成两类。一类作家是政治倾向性强烈的,一类是艺术性强烈的。政治性强烈的作家,把作品当号角、当战斗性的东西。具体表现出来是一种宣泄。再一个讲究深度、广度和力度。不管作品最后达到达不到,都追求这些,而且都是教育性的。另一类是艺术倾向性强烈的作家。这一类作家都能成为文体家。这是文体上的一个根本问题。我们要把这个根本问题抓住。为啥呢?我觉得这一类作家都是抒情主义的。当然,他们不一定写诗,但他们都是抒情诗人。从三十年代到现在,都是这样。这些作家都善于用闲笔闲情,都是将一切东西变成生命审美的东西。而且,他们的作品都是自我享受的。只有这一类作家才能成为文体家。剩下的都成不了文体家,从来没有听谁说蒋光赤,以至于当代一些政治倾向强烈的作家是文体家。我记得汪曾祺说过,他就是一个抒情主义者。他们爱用闲笔闲情,我觉得闲笔闲情最容易产生风格。风格鲜明的都可以是文体家。

韩鲁华:明显感到,你小说创作中的审美意识,是一种复合建构,是多种审美意识的整体融合。有人从审美意识的内涵上,归结为现实参与意识、文化意识、生命意识、女性意识、忧患意识等等,从审美范畴上总结为优美意识、悲剧意识、喜剧意识和幽默意识等。

贾平凹:人家这样讲,内容很丰富,把我说得太好了。我这里想谈一点平民意识。在写作过程中,我逐步意识到的。别人也这么说过,这种平民意识中国一般作家都有,但有些人的平民意识没有根。他们写农民把农民当闹剧写,特别是有的人写农民,是以落难公子的心态写乡下生活。咱祖祖辈辈是农民,不存在落难不落,在血脉上是相通的。咋样弄,都去不掉平民意识。这似乎是天生的,自觉不自觉地就流露出来了。其实谈这意识那意识,还有一个矛盾问题。一谈到作家内心矛盾性都是在说托尔斯泰那样的大作家。其实每个作家都有自己的内心矛盾性。比方说我,内心就充满了矛盾。说到根子上,咱还有小农经济思想,从根子上咱还是农民。虽然你到了城市,竭力想摆脱农民意识,但打下的烙印,怎么也抹不去。好像农裔作家都是这样。有形无形中对城市有一种愤恨心理,有一种潜在的反感,虽然从理智上知道城市代表着文明。这种情绪,尤其是一个从山区来的我,是无法回避的。另一面又有自卑心理,总觉得咱走不到人前去。再譬如说对个体户,咱也看得来,城市个体户做生意代表一种新力量,但从感情上总难接受。表现在作品中,就有这种矛盾心理,既要从理智上肯定,又在感情上难以顺利通过。对于传统的女性,从感性觉得好,从理性上分析,又觉得她们活得窝囊,没意思得很。人物都体现了这种东西。传统和现代的,道德的和价值观的,等等,这些矛盾一直在我身上存在。但你写作时,还得清醒。你观念上还得改变,跟上历史发展,要改变这种东西。感情是感情,观念是观念,虽然你有矛盾,但在写时一定要处理好,要清醒这个东西。还不能以一个彻头彻尾的农民来写农民。那样,你就跳不出这个圈子。这一方面,其他我就不说啥,只谈一点我的毛病。

韩鲁华:你的小说创作,形成了独特的风格。从总体上看,你受魏晋文化影响大,具有魏晋文人的气度、大境界。这是把握你小说美学风格的一个基本点。对此,你是如何看的?

贾平凹:我当然达不到人家那种地步。不过,只是总想咋样自在咋样弄。譬如为啥出现文白相间这种行文,我觉得这样自在。我早期的作品,雕琢的东西还是多。随着年龄的增长,对它的感觉不一样了。啥都要朴素着来,尽量不画那种雕琢的东西。其他我不想多说了。再补充一点,有人说我是婉约派,我不是,也不是豪放,只是一种旷达。我能进入现实后,又从中钻出来,没有被具体的琐事缠住。

韩鲁华:有人说你是一身兼三职的作家,既写小说,又写散文,还写诗。它们相互间有渗透,你创作上是咋处理这三者关系的?

贾平凹:我觉得这不仅仅是一个渗透的问题,还是一个刺激问题。一会写这,一会写那,是一个刺激。这样写有一个好处,就是相互能补充,能调节,能休息过来。那边用不上的,这边能用上;这边用不上的,那边能用上。其实写时没啥更多的界限,都是一回事情。不是有的人想的那样,小说写累了写散文。

韩鲁华:在中国当代文坛上,你一直是个热点人物,你能谈谈这方面的感受吗?最好结合当代文坛谈。

贾平凹:从发展的角度看,作为我来说,有时看人家谁的东西都好得很,一读都吃惊,人家是咋弄的,咱就弄不来。我看同辈作家的作品少得很,那么多,没时间读。有时看了,不以为然,譬如有

此時正乘馬

甲申 羊四

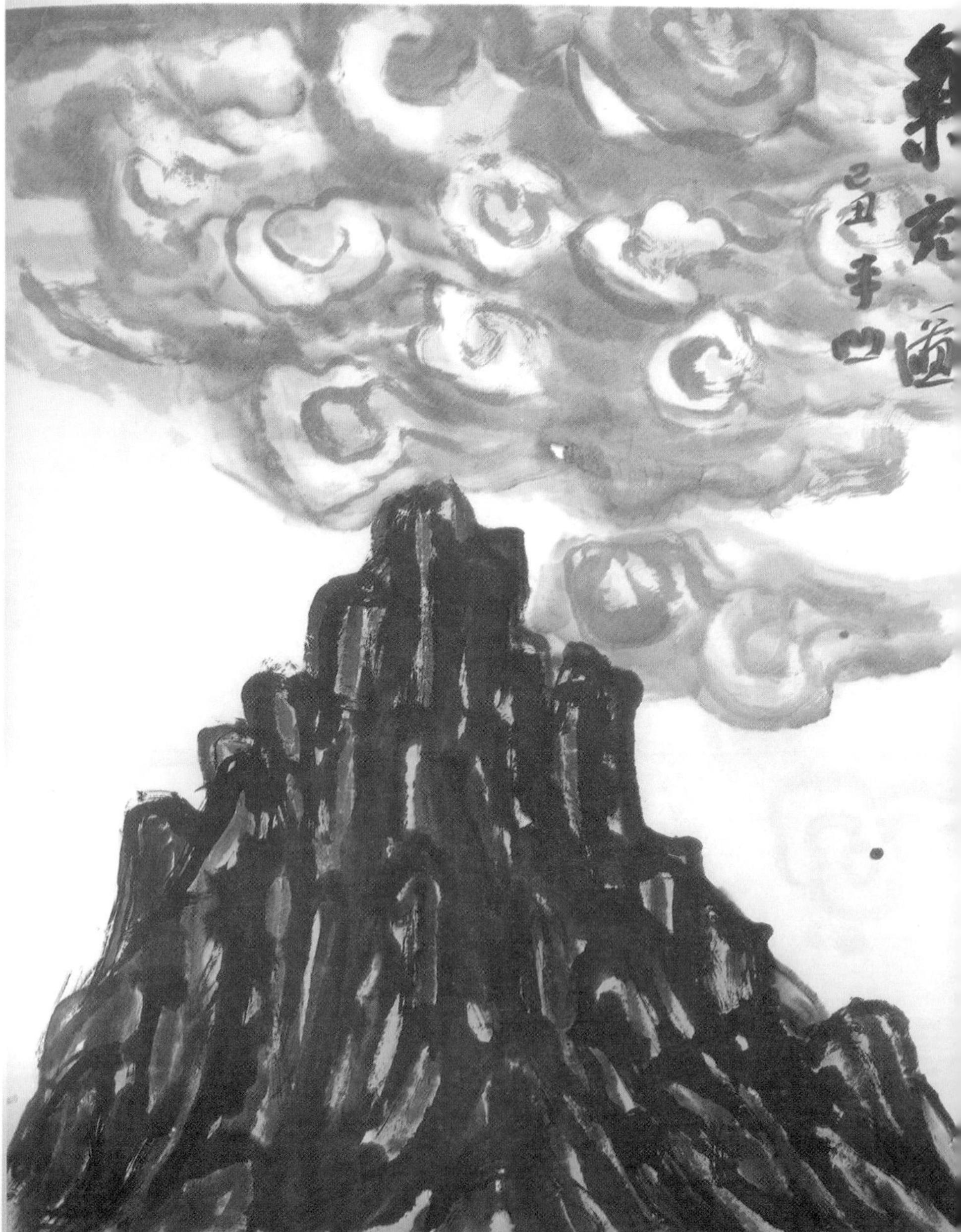

的作品当时在国内叫响得很,后来看并不咋样。不知文坛是咋弄的。有些作品咱看不出咋好,但红得很,有些确实好得很。这种感觉是一阵一阵的。我对外头的作家,不管谁都有一种敬畏感,觉得人家厉害,这种感觉常有。有时哀叹咱住在西安,和外面接触少。我在作家中是最不接触人的,不入任何圈子,我还是谈我自己。文坛上的事情怪得很,这次在书市报告中就说,也是真实话。我常在家想,自己是不是弄错了?我回想我到底都写了些啥东西,还落下些虚名;要么就是文学太容易了。我经常有这种想法。后来我得出一个结论,文学上容易造成一种声势。其实好多人并没有读你的作品,譬如我吧,你说写得好,他连看都没有看,也说写得好,三传两传,就传出个名作家。我恐怕就是这样产生的。再一个就是我从搞创作到现在,一直是个热点人物。这不是我说的,你刚也说。不知咋弄的。出名说容易也容易,说难也难。这和画家一样。出不来,连笔纸都买不到手,没人理你。出来了,呼呼隆隆都来了,弄得你连口气都喘不成。你不给人家弄个东西,人家不走,还说你架子大。其实你平常得很。我就想静下来写点东西,别的啥都不想。现在人一茬一茬向上冒,你不向前赶就不行,要不停地向前赶。

韩鲁华: 你的小说受中国古典文学、现代文学影响也是明显的。譬如现代的鲁迅、废名、沈从文、孙犁,古代的庄子等。

贾平凹: 最早主要学鲁迅。学习鲁迅主要学他对社会的批判精神。对社会的透视力,这一方面鲁迅对我影响大。我学习废名,主要是学习他的个性。他是有个性的作家。我写作上个性受废名的影响大,但他气太小。我看废名是和沈从文放在一块看的。沈从文之所以影响我,我觉得一是湘西和商州差不多,二是沈从文气大,他是天才作家。孙犁我学得早,开始语言主要是学孙犁。我更喜欢他后期的作品,这些作品对我影响大。古代作家有屈原、庄子、苏东坡等。屈原主要是学他的神秘感,他的诗写得天上地下,神神秘秘。庄子是他的哲学高度,学他的那种高境界,站得高,看问题高,心境开阔。苏东坡主要学习他的自在。他有一种自在的感觉。还有《红楼梦》、《聊斋》,我的女性人物,主要是学这两本书。我之所以这样,主要是我与它们有一种感应,那里面的东西,我完全能理解,两位作家对女性的感觉,我能感应到,从心里产生共鸣。

韩鲁华: 你作品中古典哲学、美学意蕴非常丰厚,从中可以看出,你古典文化修养功力较深。

贾平凹: 有人说我古典基础好,其实我古典读得不多,功底还很差。我是工农兵大学的,古典能学个啥。后来读了几本书,也浅得很。我学古典主要是按我的理解,我理解的不一定能和人家的意思对上号。但我从这点能想到另一个地方,我就把它弄下来。这是不是化了,我也不敢说。读书与年龄也有关系。譬如"夸父逐日"、"杞人忧天",那种真正的悲剧意识、忧患意识、人生的悲凉,这些,前几年体会不来,只有现在才体会到。

韩鲁华: 从你的作品实际看,你的文学创作具有着明显的超前意识。

贾平凹: 这个我不好说。最好由评论家去评论去。不过,我的《人病》学的是立体派和印象派,但当时把它批评得一塌糊涂。

韩鲁华：你笔下的女性形象一个个都是活脱脱的,而且发展变化是明显的,请你谈一下这方面的情况。

贾平凹：前面谈其他问题,已有涉及。以前的就不说了,人们说得很多了。我在塑造人物时,有一个矛盾心理,就是怎么个创造,怎么个毁灭的问题。我最近写的一个东西,主要阐述这个问题。譬如女性,写到女性,对每一个女性,大部分都是这样。每个女性一旦遇着一个人,产生一种崭新的形象,创造出一个完整的新人,但正是这样,这女性也就在他手里毁灭了。我是想从另一个角度把女性创造出来,创造新的形象。《五魁》等作品也是这样。在一种生活环境中,突然来了一个人,她产生了一种新的生活欲望,一种心情。但最后这种东西又完全把这个女性毁灭了。

韩鲁华：你的小说创作,既不是现代派,也不是现实主义,也不是浪漫主义。有人想,干脆提一个意象主义,对此,你觉得如何?

贾平凹：评论家有自己评说的自由。不过,就我的感觉,这观点我同意。我有时坐在屋里想张艺谋的成功。张艺谋的成功,能给小说家提供好多值得思考的东西。他的东西跨出了国土。这对中国文学怎样被外部接受,有参考价值。张艺谋的东西,细部有不少漏洞,经不起推敲。艺术恰好就在这里。艺术就是虚构的东西。我就是要在现实的基础上建立自己的一个符号系统,一个意象世界。不要死抠那个细节真实不真实,能给你一种启示,一种审美愉悦就对啦。你考证说你用的啥东西,现实中没有,你用的派克笔,必须写个派克笔,死搬硬套。这起码不符合我的创作实际。尽量在创作时创造现实,在那另创造一个虚构的现实。严格地讲,我小说中写到的好多民俗,有一半都是我创造的。反正你把那个味传达出来就行了,管他用啥办法传。

韩鲁华:在你的小说中,把许多丑的东西写美了,有一种幽默感。

贾平凹:我后来的作品,有意识地追求幽默。我强调冷幽默,要蔫,不露声色,表面上憨一点。譬如文章的题目,都能看出我的心态。我爱起那一种憨憨的题目,越实在越好。这些都与人的生存环境、个人性格有关系。说到丑,丑也是美的一种形式嘛。

为了崇高而美丽的事业
——在创作二十周年酒会上的发言

非常感谢大家为我举办这个酒会!

从我动笔学习写作,发表第一篇文章起,到现在是二十年了,二十年对于一个人来说是不短的,但二十年里我的发展太慢,还仅仅是一位极普通的作家。蒙陕西书画艺术协会、红叶公司、前进纸箱厂出资筹办酒会,邀一批朋友来聚一聚,这种盛意我是领了,我却实在惭愧,难以承负,我反复在谢绝着,谢绝不掉而拖延着,但朋友们仍要坚持,而且只通知我今天的日子,什么事也不让我管。我现在这样理解,这个酒会不仅仅为我创作二十年举办,也是各位朋友为了文学事业的一次活动,为了友情的一次聚会。因此,我感动着大家的友情,感激着大家的出席!

二十年里,我踏着文学之路,绊绊磕磕往前走,靠的是什么,靠的是对文学的迷恋,靠的是大家的鼓励和支持。今天在座的就有辅导过我的老师和编辑,指正过我的作家和评论家,支持过我的乡党和同事,关注我的读者和同学。没有这么多的朋友,我绝不可能在二十年里坚持搞创作,也绝不可能二十年里成为一个作家。正是这种强大的关怀和教导,病病灾灾我没敢消沉,风风雨雨我咬牙前行,我不只一次地对自己说:为了崇高而美丽的事业,我一定要写下去,写下去,写好些,要对得起真诚而友好的朋友们!可以说,我是一个起步很低、进步很慢的作家,我的好处是能正视我自己又能善于吸收,这是因为我幸运地逢到一个好年景,逢到一批肯帮助我的人,当我作为一株麦子,开始扬花孕穗的时候,我是忘不了引导我往上长的太阳,忘不了供给根须营养的土地,没有这一切,贾平凹算什么?贾平凹能干什么又能把什么干成?!

二十年一晃过去了,遗憾的是我并没有发展到我所追求的地步,也没有完成朋友们对我所期望要完成的工作,相反的,倒让大家为我怄过气,操过心,甚至带过灾。我常常反省我自己,悔恨、焦虑。在一些好心人眼里,好像我出了几本书,小有名气,又自在又有稿费收入,是可以的了。但成名不等于就是成功,我远远没有成功。我之所以对举办这次酒会一直持谢绝和拖延态度,内心深处就是有这种悲哀。当然,我不会泄气,在没有成功之前,这样的酒会是对我的激励,我将继续奋斗。

过了二十年,还将有至少二十年的创作时间吧,我热切地盼望过去指导我的今后仍更加指导,过去支持我的今后再更多支持。如果我能成事,这事是我和大家一起完成的,那我今生今世、来世来生都铭记的!

在此,我向大家鞠躬致谢!

1994 年

《商州:说不尽的故事》序

不写商州已经多年,但在商州的故事里浸淫太久,《废都》里的人事也带有了商州的气息,如我们所说的普通话。中国是一个农业国家,不论过去,还是现在,传统的村社文化仍影响甚至弥漫着城市——当今改革最头疼的是那些庞大的国有企业,而这些企业几十年人员不流通,几代人同一科室或班组,人的关系错综复杂,生产素质日渐退化,这种楼院文化现象与村社文化已没多大区别,不能不使企业的发展步履艰难——放眼全球的目光看去,我们许许多多的城市,实在像一个县城,难听点,是大的农贸市场。这就是中国的特点!作为一个作家,写什么题材不是重要的事,关键是在于怎么去写,当商州的故事于我暂放下不写的时候,我无法忘掉商州,甚至更清晰地认识商州,而身处在城市来写城市,商州常常成为一面镜子、一泓池水,从中看出其中的花与月来,形而下形而上地观照我要表现的东西了。现实的情况,城与乡的界限开始了混淆,再不一刀分明,社会生活的变化,需要作家在关注城市的同时岂能不关注农村,在关注农村的同时也不能不关注到城市,现时的创作不管用什么样的形式方法,再也不会类同西方国家,也再也有别于我们前辈的作家,不伦不类的"二一子",可能更适应实际,适应我们。

商州曾经是我认识世界的一个法门,坐在门口唠唠叨叨讲述的这样那样的故事,是不属"山中有一座庙,庙里有一个和尚"的一类,虽然也是饮食男女,家长里短,俗情是非,其实都是藉于对我们民族过去、现在和未来的认识上的一种幻想。我寄希望于我的艺术之翅的升腾,遗憾的是总难免于它的沉重、滞涩和飞得不高,我归结于是我的宿命或修炼得不够,也正因此我暂停了商州故事的叙说,喘息着,去换另一个角度说别样的故事。但是,不能忘怀的,十几年里,商州确是耗去了我的青春和健康的身体,商州也成全了我作为一个作家的存在。我还在不知疲倦地张扬商州,津津乐道,甚至得意忘形。我是说过商州的伟大,从某一角度讲,没有商州就没有中国,秦始皇灭六国统一天下,秦国之所以能统一得助于商鞅之变法,而变法的特区就是商州。许多年里,是有过相当多的人读了我的书去商州考察和旅游,回来都说受了骗,商州没有我说的那么好,美丽是美丽,却太贫困,且交通不便,十分偏僻。但是,他们又不得不对商州的大量遗属保守在民间口语中的上古语言,对有着山大王和隐士的遗传基因所形成的人民的性情,对秦头楚尾的地理环境而影响的秀中有骨、雄中有韵的乡风土俗叹为观止。文坛上,对我的作品的语言和作品中的神秘色彩总有两种说法,一种认为我古典文学的底子好,足风标,多态度,一种认为故意行文文白夹杂,故意耍魔幻主义。说好说坏其实都不妥,我没有学过多少古文,也不是人为耍魔幻,是商州提供了这一切。

当然,在我讲的故事里,商州已不仅是行政区域的商州,它更多的是文学中的商州,它是一个载体,我甚至极力要淡化它。事实也是如此,当我第一次运用这个名称时,这个区域名为商洛,商州只是历史上的曾用名,只是这些年,商州二字才被这个地区广泛应用赫然出现在商场、旅馆、货栈、产品的名称里,最大的中心县改市后,也叫商州市。

从事地方行政的人士,尤其一些地区、县的领导干部,多年里已经习惯了一种思维,当他们向上级部门索要补贴和救济时,是极力哭诉自己的贫穷,贫穷到一种乞相,当他们论到政绩时,所辖之地的形势总是好的,而且越来越好。不可避免,我开始向世人讲叙商州的故事,商州人是并不认同的,他们把文学作品当作了新闻报道,家丑不能外扬,我得罪了许多人,骂成"把农民的垢甲搓下来给农民看",是"叛徒"、"不肖之子"。时间过了十数年,商州在认识外边世界的同时,也认识了自己,他们承认了我这个儿子,反过来就热情地给我以爱护、支持和培养。多年来,上至更替的每一届的书记、专员,下至乡长、村夫、小贩、工匠、教员、巫婆、术士,相当多的人成为要好的朋友,那里发生了什么事情,我这里都清清楚楚,商州在省城设有办事处,那是一办,我家里人戏称二办。一九九三年,我被流言蜚语包围着,顽固的乙肝、病痛又逼使我卧上了医院病床,有人送来了一大沓照片。中国中部十二个中小城市经济交易会在商州举办,商州的一次大型社火游行的活动中,竟有一台社火芯子扮演的是我。商州的社火很是出名,芯子的内容历来都是诸神圣贤、历史传说,将现当代人事扮演了抬着招摇过市几乎没有,尤其一个作家,在当时褒贬不一的人。况且,装扮的"贾平凹"脚下是数本巨型书,写有《废都》、《浮躁》、《天狗》等。我还不至于是个轻薄人,但这一堆照片令我热泪盈眶,商州人民没有嫌弃我,我应该"默雷止谤,转毁为缘",也为我没有更好的作品问世深感羞愧。

既然我选择了作家的职业,而且继续工作下去,讲述商州的故事或者城市的故事,要对中国的问题作深入的理解,须得从世界的角度来审视和重铸我们的传统,又须得借传统的伸展或转换,来确定自身的价值。我不是个激情外露的人,也不是严格的现实主义者,自小在雄秦秀楚的地理环境、文化环境中长大,又受着家庭儒家的教育,我更多地沉溺于幻想之中。我欣赏西方的现代文学,努力趋新的潮流而动,但又提醒自己,一定要传达出中国的味道来。这一切做来,时而自信,时而存疑,饱尝了失败之苦,常常露出村相。曾经羡慕过传统的文人气,也一心想做得悠然自得,以一贯之的平静心态去接近艺术,实践证明,这是难做到了。社会转型时期的浮躁,和一个世纪之末里的茫然失措,我得左盼右顾,思想紧张,在古典与现代,中国与世界的参照系里,确立自我的意识,寻求立足之地,命运既定,别无逃避。

中国人习惯于将文学分得十分之细,甚至到了莫名其妙的地步,我的商州的故事,曾被拉入过乡土文学之列,也被拉入过寻根文学之列,还有什么地域文化之列。我不知道还会被拉入到什么地方去,我面对的只是我的写作,以我的思考和体验去发展我的能力。商州的故事,都是农民的人事,但它并不是仅为农民写的,我出生于乡下,写作时也时时提醒自己的位置和角度。也正是如此,说得很久了的那句"越是地域性,越有民族性,越是民族性,越有世界性"的话,我总觉得疑惑。剪纸、皮影,虽然独特,但毕竟是死亡的艺术,是作为一份文化遗产仅供我们借鉴的资料,它恐怕已难以具有了世界性,如果我们不努力去沟通、融汇人类文明新的东西,不追求一种新的思维、新的艺术的境界,我们是无法与世界对话的。在所谓的乡土文学这一领域里,我们最容易犯墨守成规的错误,或者袭用过时的结构框式、叙述角度和语言节奏,或者就事论事,写农民就是给农民看,作一种政策的图解和宣传。我们民族的传统文化无疑是宏大的,而传统文化也需要发展和超越,问题是,超越传统的人必是会心于传统这种神妙体验的人,又恰恰是懂得把自己摆到置之死地而后生的危险境地,孜孜以求那些已经成为传统的不朽之点的。

我在做这些思考的时候,我时时想到商州,我说,商州,永远在我的心中,我不管将来走到什么地方,我都是从商州来的。商州的最大的河流是丹江,当然还是这条水,它再流就成了汉江,再流就成了长江。正如此,我不悔其少作,更不自己崇拜自己,我同意这样的一套书编辑问世,为的是我要继续行路,过去的便束之高阁。

1994 年 4 月 27 日夜

名　角

　　杨凤兰是西安南郊人,十一岁上跟李正敏学戏,翌年即排《三对面》,饰青衣香莲。凤兰个头小,家人牵着去后台装扮,一边走,一边嚷道要吃冰糖葫芦,家人说:"你是香莲了,还贪嘴?"凤兰嘴噘脸吊。但到锣鼓声起,粉墨登场,竟判若两人。坐则低首嘿答,立则背削肩蹇,抖起来如雨中鸡,诉起其冤,声口凄婉,自己也骨碌碌坠下泪来,一时惊动剧坛。李正敏说:"这女子活该演戏,但小小年纪竟能体味苍凉,一生恐要困顿了。"愈发爱怜栽培,传授《三击掌》《徐母骂曹》《二进宫》给她。

　　渐渐长大,凤兰已是名角,拥有众多戏迷,她不喜张扬,见人羞怯,服低服小。剧团多有是非,无故牵扯到她,旁人都替她满脸作怒了,她仍只是忍耐,静若渊默。一年夏天,回村探母,正在屋里梳头,墙外忽有枪声,有东西跌在院中一响。出来看时,有鸟坠在捶布石下,遂矮墙头上露一人脸,背着猎枪,挤眉弄眼,示意鸟是他打中的。凤兰有些恼,提了鸟丢出去,那人却绕过来,收住了脚,在门首呆看。凤兰耳根通红,口里喃喃,微骂掩门不理。又一年后,女大当嫁,有人提亲,领来了一小伙见面,竟是打鸟人。小伙笑道:"我早打中的。"时凤兰二十三岁,谭兴国大其九岁,且带有一小孩。亲戚里有反对的,但凤兰不嫌,认定有缘,遂为夫妇。

秦腔虽是大的剧种,历来却慷慨有余,委婉不足,出西北就行之不远。李正敏毕生力戒暴躁,倡导清正,死时紧握凤兰手,恨恨而终。凤兰见宗师长逝,哭昏在灵堂,立誓发扬敏腔艺术,此后愈发勤苦,早晚练功不辍,冬夏曲不离口。出演了《白蛇传》、《飞虹山》、《谢瑶环》。每次演出,都在家叩拜宗师遗像,谭兴国在旁收拾行装,然后骑自行车送至剧场。谭兴国那时在一家话剧院做美工,凡有凤兰演出,必坐于台下观看,一边听观众反映,一边做记录,回家便为凤兰的某一唱句、某一动作,提议,做修正。灯下两人戏言,凤兰说:"我这是为戏活着么!"兴国说:"那我就为你活着!"刚说毕,窗外嘎喇喇一声雷响,两人都变了脸。

二十七岁那年,凤兰演《红灯记》,只觉得脖子越来越粗,却并不疼,也未在乎,衣服领口就由九寸加宽到一尺一,再加宽到一尺三。演第二十七场,突然昏倒在台上,急送医院,诊断为甲状腺癌,当即手术,取出了八个瘤子,最大的竟有鸭蛋大。医生告诉兴国:人只能活二年。兴国跑出医院在野地里呜呜哭了一场,回来又不敢对凤兰说。数月里人在医院伺候,夜不脱衣,竟生了满身虱子。凤兰终于知道了病情,将硬得如石板一样的半个脖子,敲着嘭嘭响,抱了李正敏的照片泪流满面。她写下了遗书,开始七天不吃不喝。兴国铺床时,褥子下发现了遗书,一下子把凤兰抱住大哭。凤兰说:"我不能唱戏了?我还活着干什么?!"兴国说:"有我在,你不能走,你能唱戏的,我一定要让你唱戏嘛!"谭兴国把凤兰病情资料复印了几十份,全国各大医院都寄,希望有好的医疗方案。医院差不多都回信了,唯一只能化疗。在漫长的化疗过程中,谭兴国四处求医寻药,自己又开始学中医,配处方。杨凤兰竟每天数次以手指去拨声带,帮助活动。服用了兴国的药方二百八十多服,奇迹般地活了下来。

出院五个月后,凤兰真的上台演出,演过了七场。第八场演出中,她正唱着,突然张口失声,顿时急得流泪。满场观众一时惊呆,都站起来,静悄悄的,等知道是怎么回事了,哽哽咽咽便起了哭音。从此,失声多年。凤兰再不去想到死,偏要让声再出来,但声还是不出。百药服过,去求气功,凤兰竟成了气功师最好的弟子,多半年后,慢慢有了声出来。气功师见她刻苦,悟性又好,要传真功给她,劝她不再演戏,师徒云游四方去。凤兰说:"我要不为演戏,早一根绳子去了,何必遭受这么大的罪?"每次练功前,都念叨李正敏,每念叨精神倍增。气功师也以为奇,遂授真功给她,收为干女。发了声后,凤兰就急于要唱,但怎么也唱不成,音低小得如耳语。又是如此数年,她开始了更为艰辛的锻炼,每早每晚,都咪咪咪,吗吗吗,一个音节一个音节往上练,常常几个月或者半年方能提高一个音节。每每提高一节,就高兴得哭一场,就给李正敏的遗像去奠香焚纸。兴国照例要采买许多酒菜,邀朋友来聚餐恭贺。在去北京疗养练声期间,兴国月月将十分之八的工资寄去北京,自己领着两个孩子在家吃粗的,喝稀的,每到傍晚才往菜市,刨堆儿买菜,或拣白菜帮子回来熬吃。凤兰终于从北京拨来电话,告知她能唱出"希"和"逗"的音节了,夫妇俩在电话里激动得放声大哭。

当凤兰再次出现在戏台上,剧场如爆炸一般欢呼,许多观众竟跑上台去,抱住她又哭又笑。

一个演员,演出就是生命存在的意义,杨凤兰人活下来了,又有了声音,她决心要把耽误了十多年的时间补回来,把敏派艺术继承和光大。但是灾难和不幸总是纠缠她。一次演出途中发生了车祸,同车有两人死亡,她虽然活下来,却摔成严重的脑震荡,而且一个膀子破裂,落下残疾,再也高举不起。更要命的是戏剧在中国正处于低潮,所有演出单位只能下乡到偏远地区方可维持生计,她毕竟身子孱弱,不能随团奔波。凤兰的脾气变坏了,终日在家浮躁不宁。兴国劝她,她就恼了,说:"我苦苦奋斗了几十年,现在就只有去唱唱堂会吗?!"不理了兴国,兴国把饭做好,她也不吃。兴国也是苦恼,琢磨着剧场不演戏了,能不能拍电视录像片,与几个搞摄像的朋友合计了,回来对凤兰说:"你如果真要演正经戏,就看你能不能成?"说了主意,凤兰猛地开窍,当了众人面搂抱了兴国,说:"知我者兴国也!"

拍电视片又谈何容易?首先需要钱,夫妇俩从此每日骑了车子,成半年天天去寻找赞助,这个公司出一万,那个熟人掏三百,见过笑脸,也见过冷脸,得到了支持,也承受了嘲弄,终于筹集了十二万八千元,兴国也因骑自行车磨破了痔疮躺倒过三次。凤兰选择的剧目是《五典坡》,《五典坡》是李正敏的拿手戏。但旧本《五典坡》芜杂,夫妇俩多方求教专家学者,亲自修改,终于开拍,辛辛苦苦拍摄了,却因经验不足,用人不当,拍成后全部报废,钱也花光了。夫妇俩号啕大哭,哭罢了,你给我擦泪,我给你擦泪,咬了牙又出去筹款。这一次凤兰谁也不信,只信兴国,要兴国导演。兴国的本行是舞美设计,在国内获得过三次大奖,虽未从事过导演,但对艺术上的一套颇精到,又经历上次失败,就多方请教,组成强有力的拍摄班子。新的拍摄开始,一切顺利,凤兰极度亢奋,常常一天吃一顿饭。兴国更是从导演、布景、灯光、道具,以及所有演员、工作人员的接来送往、吃喝拉睡,事无巨细地安排操作,每天仅睡两个小时。一日,夫妇俩都在现场架子上,兴国扛着摄像机选机位,往后退时,凤兰瞧着危险,喊:"注意!注意!"没想自己一脚踏空,仰面从高架上跌下来,左脚粉碎性骨折了。在床上又是躺了八个月。八个月后,带着一手一脚都残废的身子将戏拍完,凤兰体重减轻了十斤,她笑着说:"活该戏要拍好的,后边的戏是王宝钏寒窑十八年,我不瘦才不像哩!"片子后期制作,资金极度紧缺,夫妇俩将家中仅有的几千元存款拿出来,无济于事,就乞求、欠账,寻廉价的录音棚,跑几百里外租用便宜剪辑机器。刚刚剪辑了前两部,夫妇俩高高兴兴搭公共车返回,兴国就在车上瞌睡了,瞌睡了又醒过来,他觉得肝部疼,用拳头顶着。凤兰见他面色黑黄,大汗淋漓,忙去扶他,兴国就昏倒在她怀里。送去医院,诊断为肝癌晚期。半年后,兴国死去,临死拉住凤兰手,不让凤兰哭,说:"凤兰,咱总算把戏拍完啦。"

《五典坡》新编本《王宝钏》三部放映后,震动了秦腔界。凤兰扮相俊美,表演精到,唱腔纯正,创造了一个灿烂的艺术形象,被誉为秦腔精品。一时间,三秦大地人人奔走相告,报纸上、电台电视上连篇累牍报道,各种研讨会相继召开,成为盛事。电视台播映那晚,各种祝贺电话打给凤兰,持续到凌晨四点。四点后,凤兰没有睡,设了灵桌,摆好了李正敏的遗像、谭兴国的遗像,焚香奠酒,把

秋事日

月亮地 辛巳岁秋日 乃辰平四

《王宝钏》录像带放了一遍。放毕,天已大亮,开门出来,门外站满了人,全是她的戏迷,个个泪流满面。

《走虫》自序

商州的农民把人说成"走虫",说得好,是一条虫,又能走,一生中不知要走过多少地方!几年以前,我哪里也不去的,罩窝的鸡;这二年天南海北走遍,走乎其所不得不走,止乎其所不得不止,走的是狮虎,也走的是蝼蚁。这本集子多半为近来走过的记录,少半的收了那些平日懒散写的短文章。

出版《走虫》为的是已经变灭了的走程,在集前写这几句话,也为了这本书的文字变灭。

1996 年 12 月

答朱文鑫十问

贾平凹先生：

我自一九八二年读到您的散文集《月迹》之后，便开始跟踪阅读、收藏和研究您的作品。在我的周围还有一个小小的读书群体，都很关注您的作品及身体健康，今日受这个群体(读书会)的委托，向您提几个问题，请在百忙中给予支持。

朱文鑫
1997 年 2 月 1 日

一、近十年来，反映工人生活的作品少且没有分量，是作家缺少五十年代那种下厂生活的缘故，还是其他原因？您如何看目前的工业题材作品的趋势？

工厂生活我不熟悉，工业题材作品我了解的情况有限，不能妄言。但无论工业农业，现在的生活与五十年代左右都不一样了，当年的那一种"下生活"方式也不一定现在照搬。依我之见，不主张将文学分得那么细碎，如今各行业都混为一谈了，若再细碎分下去，对写作人是一种束缚。

二、作为一个忠实的读者，我更喜欢品读您近时期的作品，因为它少了技巧，多了作家对生活的体察和总结，从某种意义上讲是不是另一种"心迹"?

我喜欢我近期作品,早期虽清新可爱,但人生的体征不多,而且有做文章痕迹。或许我如今老了些,人的年龄是了不得的,不到一定年龄就无法理解一些问题。如年少是不知死的,人到四十五岁以后,死的意识就逼近了。有了体征的作品,似乎没有章法,胡乱说,却句句都是自己生命之所得所悟,而文学的价值恰在这里。

三、中国第六次文代会提出了作家要注意继承借鉴与探索创新的关系,在这一方面,我认为,您二十几年来的创作,始终是在这么做的,尤其坚持具有中国风格、中国气派——中国味的东西,而且堂堂正正地走向世界,得到了人们的承认,让世界更好地了解中国,那么,今后是否仍然坚持这一点,并有更大的突破?

艺术以征服而存在,而存在靠创造。艺术家的全部尊严在于创造。我坚持中国作风,但作品内涵一定得趋世界之势而动。目前"远大"一语人人都说,但有人在写作时就全忘了:为一个民族而写作。

四、在由北京市委宣传部、工会联合主办的"北京市职工文学创作研修班(一年)"上,我作为学员与在京的几位作家、评论家(如王蒙、刘绍棠、曾镇南等)交谈中,他们大都承认您的创作既不属于传统现实主义,也不属于先锋主义,而是属于追寻(意境)艺术主义道路的一类,您如何看待他们的评价?

我是谁也不要的作家,这可能有自己面目的好处,但同时有出了事谁也不保护你的尴尬。山头和圈子有互相激励、互相关照的生存优势,但我无法做到。我不知道我是什么个样儿。

我只能依我的河流去流,至于是流得大与小,是否到大海,谁知道呢?天生我在西北一隅,又生性不喜交友呀。

五、您的小说中的女性形象鲜明,美得妙不可言,那么,您如何看女人的"大丑",是否能够在您的笔下也塑造一位"大丑"的女人形象?

我也想写写丑妇,也写过,但不强烈。这或许与我的妇女观有关。至于以后怎么写,都不要故意要怎么怎么。

六、在您的近期散文作品中常常出现"知非诗诗,未为奇奇"的观点,能否具体解释一下这种思想?

懂得什么是非了,就懂得了什么是是,实事求是也可实事求非。一般人诗是白纸写黑字,李贺则黑纸写白字。

七、一九九六年初春,您到江浙一带走了走,曾写了大量日记体散文,而且读者喜欢,只是在《文学报》上读到了一小部分,那么请问江浙日记是否近期有结集出版计划,这种文体今后还大量续写吗?比如新疆行、商州重行等等。

江浙日记全部在去年五六月份由中青社结集出版,书名:《江浙日记及新近散文》。那一组日记,只是记录而已,一是所见所想真实写照,二是为对上边的安排有个答复。文学意义可能不大,但能看出我的内心和感受。

八、《美文》杂志办得很有特色,在我的文友中,我知道至少有六位自费订了该杂志,能否谈一谈当前纯文学刊物如何赢得更多的读者?

杂志毕竟是消费性的。但要赢得读者,一是作品要逼近生活,二是要有自己特色,三是编辑工作要精心。

九、您的小说名字大都是两个字的,虽然乍看上去很白,但寓意深,象征性强,尤其近三部长篇小说尤为突出,您怎么理解小说中的象征,比如《土门》。

作品必须形而下与形而上结合,无形而上不成艺术,但纯形而上则又成了哲学。作品的象征,我喜欢用整体象征和行文中不断的细节象征,这样,作品就产生多义性,说不尽。这一切皆要自然为之,作者在写时,仅感知里边有东西,但无法准确道出,感觉是作家的看家本事。

十、最后,向您提一个不太好回答的问题:孙见喜先生是您同乡,也是作家,又做过编辑工作,方英文先生曾称你们是"爱友关系",一般人不能比的。我读过您写有关文友、画友、书友的大量序跋、速写文章,当然包括"我的老师"孙涵泊,那么,却迟迟不见您评价孙见喜方面的文字,因此,我冒昧请您谈一谈他的散文如何?谢谢您。

因孙写了我的许多文章,我写他就招嫌了,也可能太熟,太熟的人是不讲礼节的。其实孙的散文很好,他冷静,沉着,细腻,有艺术性。他的散文影响也是很大的。此人进步极快,有见地,常有惊人之语,也是文论家。

附言:

一、因过春节,节后又忙单位事、家事,一直抽不开手写信,迟复望谅。

二、感谢您的厚爱。我的作品是速朽文字,您这么关注,收集,给我许多鼓励。我将再努力吧,争取能写些半速朽文字,年少时创作热情大,但不知深浅,如今有些感觉了,又怯于多写,这实是人生之遗憾。

三、您的水平颇高,单从这些提问上看,我产生了回答的欲望,但因要去开会,放下午饭碗,匆匆写此。望多联系,多交流。

四、祝您一切如意。问候您周围的朋友。

敬礼

贾平凹

1997 年 2 月 28 日

《中国当代才子书·贾平凹卷》序

去年,出版社决意要编辑出版这本书时,我是迟迟地不合作:不提供照片,不提供书与画的作品,甚至不回信。这样的态度使许多人愤慨了,以为我要傲慢。不是的,我从来不敢傲慢,之所以学着逃避是觉得作家就是作家,没必要须弄出个琴棋书画无一不精的面目来招摇过市。今年出版社又来了人,我是同意了,因为这套书要出四本的,别人的三本都编好了,单等着这一本,若再不合作,就……原本是很真诚的,但真诚却要成了矫情,人活着真是难以违背世态啊!

去年四十四岁,今年四十五岁,到了斤斤计较岁数的年龄,足以证明开始衰老了。从二十岁起立志要做个好的文人,如今编这本书只让人丧气:就那些速朽的文字吗,就那些涂鸦般的书与画吗?往日里,也曾在朋友面前夸口:我是预测第一、书法第二、绘画第三、作曲第四、写作第五,那全是什么不行偏说什么好,要学齐白石的,如喝酒夸酒量的醉话。那年去美国,见到一个诗人,旁边一个作家告诉我:这是在美国人人都知道的著名诗人,但人人都不知道他写了些什么诗。我当时笑了,心里想,我将来千万不要做这样的作家。我也见过一些官人写的文章和写文章的官人,在文坛上他是官人,在官场上他是文人,似乎两头特别,其实两头让人不恭的,如果还算有才,也全然浪费了。一个人的能力会有多少呢,主要地从事一项了,别的项目都是为了这一项而进行的基本修养训练罢了。嘴的功能是吃饭说话的,当然,嘴也可以咬瓶子盖。我的那点书呀画呀,甚至琴呀棋呀,算什么呢,如果称之为才子,还真不如称这为歌妓,歌妓还必须是貌美的女子。

真正的才子恐怕是苏东坡,但苏东坡已经死在宋朝,再没有了。

我之所以最后同意编辑出版这本书,也有一点,戳戳我的西洋景,明白自己的雕虫小技而更自觉地去蹈大方。如果往后还要业余去弄弄那些书法呀、绘画呀、音乐呀,倒要提醒自己:真要学苏东坡,不仅仅是苏东坡的多才多艺,更是多才多艺后的一颗率真而旷达的心,从而做一个认真的人,一个有趣味的人,一个自在的人。

今早起来,许多人事要联系,去拨电话时却发现往日携在身上的电话号码本丢失了,一时满头闷水,嗷嗷直叫。要联系的人事无法联系,才突然明白,在现代社会里活人,人是活在一堆数字里的。那么,属于我的数字是哪些呢?

1997年5月7日

灵 山 寺

　　我是坐在灵山寺的银杏树下，仰望着寺后的凤岭，想起了你。自从认识了你，又听捏骨师说你身上有九块凤骨，我一见到凤这个词就敏感。凤当然是虚幻的动物，人的身上怎么能有着凤骨呢，但我却觉得捏骨师说得好，花红天染，萤光自照，你的高傲引动着众多的追逐，你的冷艳却又使一切邪念止步，你应该是凤的托变。寺是小寺，寺后的岭也是小岭，而岭形绝对是一只飞来的凤，那长长翅正在欲收未收之时，尤其凤头突出地直指着大雄宝殿的檐角，一丛枫燃得像一团焰。我刚才在寺里转遍了每一座殿堂，脚起脚落都带了空洞的回响，有一股细风，是从那个小偏门洞溜进来的，它吹拂了香案上的烟缕，烟缕就活活地动，弯着到了那一棵丁香树下，纠缠在丁香枝条上了。你叫系风，我还笑过怎么起这么个名呢，风会系得住吗，但那时烟缕让风显形，给我看到了。也就踏了石板地，从那偏门洞出去，你知道我发现什么了，门外有一个很大的水池，水清得几近墨色，原本平静如镜，但池底下有拳大的喷泉，池面上泛着涟漪，像始终浮着的一朵大的莲花。我太兴奋呀，称这是醴泉，因为凤是非练实不食非醴泉不饮的，如果凤岭是飞来的凤，一定为这醴泉来的。我就趴在池边，盛满了一陶瓶，发愿要带回给你的。

小心翼翼地提着水瓶坐到银杏树下,一直蹲在那一块小菜圃里拔草的尼姑开始看我,说:"你要带回去烹茶吗?"

"不,"我说,"我要送给一个人。"

"路途远吗?"

"路途很远。"

她站起来了,长得多么干净的尼姑,阳光下却对我瘪了一下嘴。

"就用这么个瓶?"

"这是只陶瓶。"

"半老了。"

我哦了一声,脸似乎有些烧。陶瓶是我在县城买的,它确实是丑陋了点,也正是丑陋的缘故,它在商店的货橱上长久地无人理会,上面积落了厚厚的灰尘,我买它却图的是人间的奇丑,旷世的孤独。任何的器皿一制造出来就有了自己的灵魂和命运,陶瓶是活该要遇见我,也活该要来盛装醴泉的。尼姑的话分明是猜到了水是要送一位美丽的女子的,而她嘲笑陶瓶也正是嘲笑着我。我是半老了吗?我的确已半老了。半老之人还惦记着一位女子,千里迢迢为其送水,是一种浪漫呢还是一种荒唐?

但我立即觉得"半老"二字的好处,它可以做我以后的别名罢了。

我再一次望着寺后的凤岭,岭上空就悠然有着一朵云,那云像是挂在那里,不停地变化着形态,有些如你或立或坐的身影。来灵山寺的时候,经过了洛河,《洛神赋》的诗句便涌上心头,一时便想:

甄妃是像你那么个模样吗?现在又想起了你,你是否也是想到了我而以云来昭示呢?如果真是这样,我将水带回去,你会高兴吗?

我这么想着,心里就生了怯意,你知道我是很卑怯的,有多少人在歌颂你,送你奇珍异宝,你都是淡漠地一笑,咱们在一起吃饭,你吃得那么少,而我见什么都吃,你说过什么都能吃的人一定是平庸之辈,当一个平庸人给你送去了水,你能相信这是凤岭下的醴泉吗?"怎么,是给我带的吗?"你或许这么说,笑纳了,却将水倒进盆里,把陶瓶退还了我。

我用陶瓶盛水,当然想的是把陶瓶一并送你,你不肯将陶瓶留下,我是多么的伤感。银杏树下,我茫然地站着,太阳将树荫从我的右肩移过了左肩,我自己觉得我颓废的样子有些可怜。

我就是这样情绪复杂着走出了灵山寺,但手里依然提着陶瓶,陶瓶里是随瓶形而圆的醴泉。

寺外的慢坡下去有一条小河,河面上石桥拱得很高,上去下来都有台阶。我是准备着过了桥去那边的乡间小集市要找饭馆,才过了桥,一家饭馆里轰出来了一男一女两个乞丐。乞丐的年纪已经大了,蓬头垢面地站在那里,先是无奈地咧咧嘴,然后男的却一下子把女的背了起来,从桥的这边上去,从桥的那边下来,自转了一下,又从那边上去,从这边下来,被背着的女的就咯咯地笑,她笑得有些傻,饭馆门口就出来许多人看着,看着也笑了。

"这乞丐疯了!"有人在说。

"我们没疯!"男乞丐听见了,立即反驳,"今日是我老婆生日哩!"

"是我的生日,"女乞丐也郑重地说,"他要给我过生日的!"

我一下子怔在了那里,人间还有这样的一对乞丐啊,欢乐并不拒绝着贫贱!我羡慕着他们的俗气,羡慕着俗气中的融融情意,在那一刻里,请你原谅我,我是突然决定了把这一陶瓶的醴泉送给了他们。

但他们没有接受。

"能给一碗饭吗?"

"这可是醴泉!"

"明明是水么,水不是用河用井装着吗?"

这话让我明白了,他们原是不配享用醴泉的。

我提着水瓶尴尬地站在太阳底下,踅脚向小集市上走,奇迹就在这时发生了,我无意地拐过一个墙角,那里堆放了一大堆根雕,卖主因无人过问,斜躺在那里开始打盹了。根雕里什么飞禽走兽的造型都有,竟然有了一只惟妙惟肖的凤,它没有任何雕琢痕迹,完全是一块古松,松的纹路将凤的骨骼和羽毛表现得十分传神。我立即将它买下。我是为你而买的,我兴奋得有些晕眩,为什么这个时候又让我获得这只凤呢,是天之赐予,还是我真有这缘分?我说,我是没有梧桐树的,但我现在有了醴泉,我有醴泉啊,饮醴泉你会更高洁的。

我明日就赶回去,你等着一个送醴泉的人吧,我已做好心理准备,如果你肯连陶瓶一并接受,那将是我的幸福,如果你接受了醴泉退还了陶瓶,我并不会沮丧,盛过了醴泉的陶瓶不再寂寞而变得从此高古,它将永远悬挂在我的书房,蓄满的是对你的爱恋和对那一对乞丐的记忆,以及发生在灵山寺的一系列故事。

2001年6月19日

通 渭 人 家

  通渭是甘肃的一个县。我去的时候正是五月,途经关中平原,到处是麦浪滚滚,成批成批的麦客蝗虫一般从东往西撵场子,他们背着铺盖,拿着镰刀,拥聚在车站、镇街的屋檐下和地头,与雇主谈条件,讲价钱,争吵,咒骂,甚或就大打出手。环境的污杂,交通的混乱,让人急迫而烦躁,却也感到收获的紧张和兴奋。一进入陇东高原,渐渐就清寂了,尤其过了会宁,车沿着苦丁河在千万个峁塬沟岭间弯来拐去,路上没有麦客,田里也没有麦子,甚至连一点绿的颜色都没有,看来,这个地区又是一个大旱年,颗粒无收了。太阳还是红堂堂地照着,风也像刚从火炉里喷出来,透过车窗玻璃,满世界里摇曳的是丝丝缕缕的白雾,搞不清是太阳下注的光线,还是从地上蒸腾的气焰,一切都变形了,开始是山,是路,是路边卷了叶子的树,再后是蹴在路边崖塄上发痴的人和人正看着不远处铁道上疾驶而过的火车。火车一吼长笛,然后是轰然的哐哐声。司机说:你听你听,火车都在说,甘肃——穷,穷,穷,穷……

  我就是这样到了通渭。

  通渭缺水,这在我来之前就听说的,来到通渭,其严重的缺水程度令我瞠目结舌。我住的宾馆里没有水,服务员关照了,提了一桶水放在房间供我洗脸和冲马桶,而别的住客则跑下楼去上旱厕。

小小的县城正改造着一条老街,干燥的浮土像面粉一样,脚踩下去噗噗地就钻一鞋壳。小巷里一群人拥挤着在一个水龙头下接水,似乎是有人插队,引起众怒,铝盆被踢出来咣啷啷在路道上滚。一间私人诊所里,一老头趴在桌沿上接受肌肉注射,擦了一个棉球,又擦一个棉球,大夫训道:五个棉球都擦不净?!老头说:河里没水了嘛。城外河里是没水了,衣服洗不成,擦澡也不能,一只鸭子从已是一片糨糊的滩上往过走,看见了盆子大的一个水潭,潭里还聚着一团蝌蚪,中间的尾巴在极快地摆动,四边的却越摆越慢,最后就不动了,鸭子伸脖子去啄,泥粘得跌倒,白鸭子变成了黄鸭子。城里城外溜达了一圈,我趔近街房屋檐下的货摊上买矿泉水喝,摊边卧着的一条狗吐了舌头呼哧呼哧不停地喘,摊主骂道:你呼哧得烦不烦!然后就望着天问我那一疙瘩云能不能落下雨来?天上是有一疙瘩乌云,但飘着飘着,还没有飘过街的上空就散了。

  我懦懦地回宾馆去,后悔着不该接受朋友的邀请,在这个时候来到了通渭,但是,我又一次驻脚在那个丁字路口了,因为斜对面的院门里,一个老太太正在为一个姑娘用线绞拔额上的汗毛,我知道这是在"开脸",出嫁前必须做的工作。在这么热的天气里,她即将要做新娘了吗?姑娘开罢了脸,就站在那里梳头,那是多么长的一头黑发呀,她立在那里无法梳,便站在了凳子上,梳着梳着,一扭头,望见了我正在看她,赶忙过来把院门关了。院门的门环在晃荡着,安装门环的包铁突出饱圆,使我联想到了女人成熟的双乳。"往这儿看!"一个声音在说,我脸刷地红起来,扭过脖子,才发现这声音并不是在说我,而一个剃着光头的男人脖子上架了小儿就在

魚鴨圖

己丑 李口

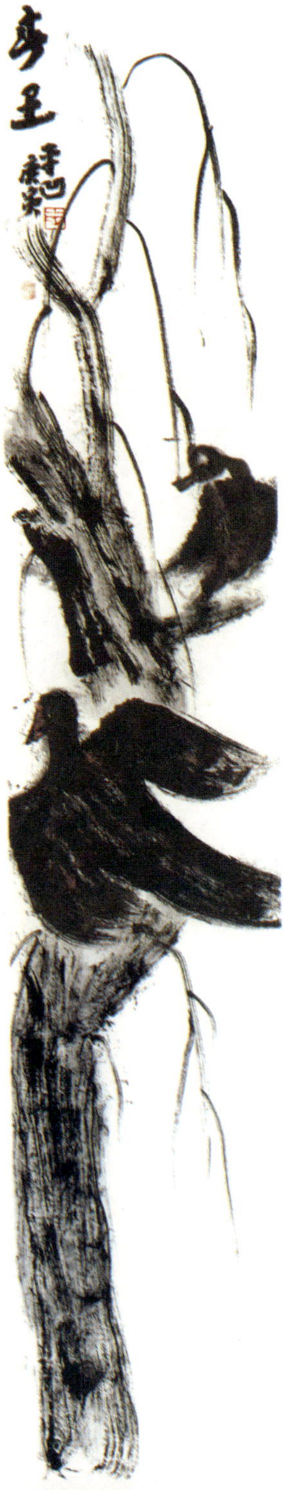

我前面走。光头是一边走一边让小儿认街两边店铺门上的字,认得一个了,小儿用指头就在光头顶上写,写了一个又一个。大人问怎么不写了?小儿说:后边有人看着我哩。我是笑着,一直跟他们走过了西街。

这天晚上,我见到了通渭县的县长,他的后脖是酱红颜色,有着几道褶纹,脖子伸长了,褶纹就成白的。县长是天黑才从乡下检查蓄水节溉工程回来,听说我来了就又赶到宾馆。我们一见如故,自然就聊起今年的旱情,聊起通渭的状况,他几乎一直在说通渭的好话,比如通渭人的生存史就是抗旱的历史,为了保住一瓢水,他们可以花万千力气,而一旦有了一瓢水,却又能干出万千的事来。比如,干旱和交通的不便使通渭成为整个甘肃最贫困的县,但通渭的民风却质朴淳厚,使你能想到陶潜的《桃花源记》。

"是吗?"我有些不以为然地冲着他笑,"孟子可是说过:衣食足,知礼仪。"

"孟子是不知道通渭的!"

"我也是到过许多农村,如果哪个地方民风淳厚,那个地方往往是和愚昧落后连在一起的……""可通渭恰恰是甘肃文化普及程度最高的县!"县长几乎有些生气了,他说明日他还要去乡下的,让我跟着他去亲眼看看,就不会说这样的话了。

我真的跟着县长去乡下了,转了一天,又转了一天。在走过的沟沟岔岔里,没有一块不是梯田的,且都是外高内低,挖着蓄水的塘,进入大的小的村庄,场畔有引水渠,巷道里有引水渠,分别通往人家门口的水窖。可以想象,天上如果下雨,雨水是不能浪费的,全然会流进地里和窖里。农民的一生,最大的业绩是在自己手里盖一院房子,而盖房子很重要的一项工程就是修水窖,于是便产生了窖工的职业。小的水窖可以盛几十立方水,大的则容量达到数千立方,能管待一村的人与畜的全年饮用。一户人家富裕不富裕,不仅看其家里有着多少大缸装着包谷和麦子,有多少羊和农具衣物,还要看蓄有多少水。当然,他们的生活是非常简单的,待客最豪华的仪式是杀鸡,有公鸡杀公鸡,没公鸡就杀还在下蛋的母鸡,然后烙油饼。但是,无论什么人到了门口,首先会问道:你喝了没?不管你回答是渴着或是不渴,主人已经在为你熬茶了。通渭不产茶叶,窖水也不甘甜,虽然熬茶的火盆和茶具极其精致,熬出的茶都是黑红色,糊状的,能吊出线,而且就那么半杯。这种茶立即能止渴和提起神来,既节约了水又维系了人与人之间的亲情。

  我出身于乡下,这几十年里也不知走过了多少村庄,但我从未见过像通渭人的农舍收拾得这么整洁,他们的房子有砖墙瓦顶的,更多的还是泥抹的土屋,但农具放得是地方,柴草放得是地方,连楔在墙上的木橛也似乎经过了精心的设计。厨房里大都有三个瓮按程序地沉淀着水,所有的碗碟涮洗干净了,碗口朝下错落地垒起来,灶火口也扫得干干净净。越是缺水,越是喜欢着花草树木,广大的山上即便无能力植被,自家的院子里却一定要种几棵树,栽几朵花,天天省着水去浇,一枝一叶精心得像照看自己的儿女。我经过一个卧在半山窝的小村庄时,一抬头,一堵土院墙内高高地长着一株牡丹,虽不是花开的季节,枝叶隆起却如一个笸篮那么大。山沟人家能栽牡丹,牡丹竟长得这般高大,我惊得大呼小叫,说:这家肯定生养了漂亮女人!敲门进去,果然女主人长得明眸皓齿,正翻来覆去在一些盆里倒换着水。我不明白这是干啥,她笑着说穷折腾哩,指着这个盆里是洗过脸洗过手的水,那个盆里是涮过锅净过碗的水,这么过滤着,把清亮的水喂牲口和洗衣服,洗过衣服了再浇牡丹的。水要这么合理利用,使我感慨不已,对着县长说:瞧呀,鞋都摆得这么整齐!台阶上是有着七八双鞋,差不多都破得有了补丁,却大小分开摆成一溜儿。女主人倒有些不好意思了,说:图个心里干净嘛!

正是心里干净,通渭人处处表现着他们精神的高贵。你可以顿顿吃野菜喝稀汤,但家里不能没有一张饭桌;你可以出门了穿的衣裳破旧,但不能不洗不浆;你可以一个大字不识,但中堂上不能不挂字画。有好几次饭时我经过村庄的巷道,两边门口蹲着吃饭的老老少少全站起来招呼,我当然是要吃那么一个蒸熟的洋芋的,蘸着盐巴和他们说几句天气和收成,总能听到说谁家的门风好,出了孝子。我先是不解这话的意思,后来才弄清他们把能考上大学的孩子称作孝子,是说一个孩子若能考上大学就为父母省去好多熬煎,若是这孩子考不上学,父母就遭罪了。重视教育这在中国许多贫困地区是共同的特点,往往最贫穷的地方升学率最高,这可以看作是人们把极力摆脱贫困的希望放了在升学上。通渭也是这样,它的高考升学率一直在甘肃是名列前茅,但通渭除了重视教育外,已经扩而大之到尊重文字,以至于对书法的收藏发展到了一种难以想象的疯狂地步。在过去,各地都有焚纸炉,除了官府衙门焚化作废的公文档案外,民间有专门捡拾废纸的人,捡了废纸就集中焚烧,许多村镇还贴有"敬惜字纸"的警示标语,以为不珍惜字与纸的,便会沦为文盲,即使已经是文人学子也将退化学识。现在全县九万户人家,不敢说百分之百家里收藏书法作品,却可以肯定百分之九十五的人家墙上挂有中堂和条幅。我到过一些家境富裕的农民家,正房里,厦屋里每面墙上悬挂了装裱得极好的书法作品,也去过那些日子苦焦的人家,什么家当都没有,墙上仍挂着字。仔细看了,有些是明清时一些国内大家的作品,相当有价值,而更多的则是通渭县现当代书家所写。县长说,通渭人爱字成风,写字也成风,仅现在成为全国书法家协会会员的人数,通渭是全省第一,而成为省书协会员的人数,在省内各县中通渭又是第一。书法有市场,书法家就多,书法家多,装饰店就多,小小县城里就有十多家,而且生意都好。我在一个只有十几户人家的小山村里,见到了其中三家挂有于右任和左宗棠的字,而一家的主人并不认字,墙上的对联竟是"玉楼宴罢醉和春,千杯饮后娇伺夜"。在另一家,一幅巨大的中堂,几乎占了半面墙壁,而且纸张发黄变脆,烟熏火燎得字已经模糊不清。我问这是谁的作品,主人说不知道,他爷爷在世时就挂在老宅里,他父亲手里重新裱糊过一次,待他重盖了新屋,又拿来挂的。我仔细地辨了落款是"靖仁",去讨教村中老者,问靖仁是谁,老者说:靖仁呀,是前沟拴子他爷么,老汉活着的时候是小学的教书先生!把一个小学教师的字几代人挂在墙上,这令我吃惊。县长说,通渭有许多大的收藏家,那确实是不得了的宝贝,而一般人家贴挂字是不讲究什么名家不名家的,但一定得要求写字人的德行和长相,德行不高的人家写得再好,那不能挂在正堂,长相丑恶者也只能挂在偏屋,因为正堂的字前常年要摆香火的。

从乡下回到县城,许多人已经知道我来通渭了,便缠着要我为他们写字,可我怎么也想不到,来的有县上领导也有摆杂货摊的小贩,连宾馆看守院门的老头也三番五次地来。我越写来的人越多,邀我来的朋友见我不得安宁,就宣布谁再让写字就得掏钱,便真的有人拿了钱来买,也有人揣一个瓷碗,提一个陶罐,说是文物来换字,还有掏不出钱的,给我说好话,说得甚至要下跪,不给一个两个字就抱住门框不走。我已经写烦了,再不敢待在宾馆,去朋友家玩到半夜回来,房间门口还是站着五六个人。我说我不写字了,他们说他们坚决不向我索字,只是想看看我怎么写字。

在西安城里,书画的市场是很大的,书画却往往作为了贿品,去办升迁、调动、打官司或者贷款,我的情况就是如此,我也曾戏谑自己的字画推波助澜了腐败现象。但是在通渭,字画更多的是普通老百姓自己收藏,他们的喜爱成了风俗,甚至是一种教化和信仰。

在一个村里,县长领我去见一位老者,说老者虽不是村长,但威望很高。六月的天是晒丝绸的,村人没有丝绸,晒的却是字画,这位老者院子里晒的字画最多,惹得好多人都去看,他家老少出来脸面犹如盆子大。我对老者说,你在村里能主持公道,是不是因为藏字画最多?他说:连字画都没有,谁还听你说话呀?县长就来劲了,叫嚷着他也为村人写几幅字,立即笔墨纸砚就摆开了,县长的字写得还真好,他写的是"一等人忠臣孝子,两件事读书耕田",写毕了,问道:怎么样?我说:好!他说:是字好还是内容好?我说字好内容好通渭好,在别的地方,维系社会或许靠法律和金钱,而通渭崇尚的是耕读道德。县长就让我也写写,讲明是不能收钱的,我提笔写了几张,写得高兴了,竟写了我曾在华山上见到的吉祥联:太华顶上玉井莲,花开十丈藕如船。

这天下午,一场雨就哗哗地降临了。村人欢乐得如过年节,我却躺在一面土炕上睡着了,醒来,县长还在旁边鼾声如雷。

几天后,我离开了通渭,临走时县长拉着我,一边搓着我胳膊上晒得脱下的皮屑,一边说:你来得不是好季节,又拉着你到处跑,让你受热受渴了。我告诉他:我来通渭正是时候!我还要来通渭,带上我那些文朋书友,他们厌恶着城市的颓废和堕落,却又不得不置身于城市里那些充满铜臭与权柄操作的艺术事业中而浮躁痛苦着,我要让他们都来一回通渭!

抚仙湖里的鱼

如此近地坐在海边,看海水摇曳出一片一片光波,如无数的刀在飞舞,而刹那间恍惚整个海面陡然翘起,似乎要颠覆过来,这还是平生第一次。两千年的七月十五日下午,我就是这样坐在尖山下的小渔村口,面对着云南的抚仙湖。抚仙湖当地人称之是湖,我却认做它是海的,因为陕西缺水,少见多怪,把湖都叫作了海。海是这么的蓝!原以为水清无色,清得太过分了竟这般蓝,映得榕树也苍色深了一层。有人就坐在树下的石砌岸上,将赤着的腿浸在海里,上身的白衫发着莹光,却能看见水中那如藕的腿和染成绛红的脚的指甲。屋主用一种大的捞勺从海里舀水冲洗石子走道,舀上来的水里有一尾青脊梁的小鱼,欢乐着蹦,然后就蹦到了海里。而榕树枝上就挂着了一个如罐似的铜锅,锅里正为我们烹着辣汁的鱼。今天能吃到最鲜美的鱼了,我是这么想着,异常的兴奋。一份考古杂志上讲,人并不是猴子所变,而是来自水里,如果这种结论成立,鱼与人类应该算最亲近的,是鱼养活了人。花的开放是为着蜂蝶来采,鱼的生成就为着把坟墓建在人腹吗?那么,铜锅里的鱼来自海的哪一角呢,它活了多少岁月在等待着了我这个北方的人?!

我环顾着海的周边,午后的霞光和水汽使群山虚化成水墨画中的皴染,唯独尖山就在屋后,真实明显,它无基无序,拔地而起,阴影就铺了全部的渔村。将眼光尽量地往远处看,海的那边影影糊糊能看到有着楼房的县城,半个小时前,我们就是从那里驱车绕道从尖山的背后过来的。同来的云南人告诉说,她就是海那边县城的人,数百年前,海水并没有到尖山下,旧城就在这里,如果运气好,逢着个好的天气,清晨依稀能看见在海面上有原来县城的幻影。但我没福看到。我看到的只是这么几户人家的小渔村。或许这地方原本就是一个小渔村,小渔村发展成了旧城,旧城又发展成了小渔村。沧桑变化,变化成如今的模样真是再好不过的事了。据说那次旧城沉没,正好是一个晚上,除一对无眠的老夫妇逃出外,屋舍、人物、家畜全无消息。人是从水里爬上岸的动物,而那么一城的人又复归于水里,它们是变成了人鱼吗?一只水鸟贴着海面飞过来,兜一个圈儿,又贴着海面飞了去,在偶然望见的那一个崖头下,石头上坐着了一个人,我想象那会不会坐着一个人首鱼身的美人鱼呢?

"那是捞鱼的。"陪我的人说。

"捞鱼的?"我怎么能相信呢,"坐在崖头下捞鱼?!"

原来这里的人很少荡船在海里张网捕鱼,古老的时候,他们用勺能连鱼带水舀上来,或者用竹茅在水里扎,如今鱼的需求量多了,也只是在崖头下的小石穴里等着鱼钻竹篓,这如同猎人的守株待兔。小石穴里,都是有泉水往海里流的,流出的泉和海的颜色不同,水质也不同,鱼顺着泉水往上游,只消在那儿放一个竹篓,鱼就进去了。泉水在海水中的光亮,如佛在尘世的召唤,海里那么多的鱼,能不能完满自己的生命,将坟墓修建在人的肚腹,就看它的造化了。

关于这个海里的鱼,是怎样的一种社会,有怎样的生存方式和信仰,真是无法想象的神秘。我提议能否去海上看看呢,于是搭乘了汽艇,遗憾地并没有见到一条鱼,鱼一定是沉潜在海底,海底里有水晶宫一样的去处吧?汽艇开得快起来,柔软的水面竟成了坚强的陆地,颠簸得身子生疼。陪同的人说要看鱼得阴历十五月圆的夜里,所有的鱼都游近了远处的那个孤岛下,若站在孤岛上可以看见四周一圈几米宽的鱼群带,白花花一片,鱼的划水声响成一种轰轰声。但那天不是阴历的十五,天又不是晚上,我仍是没有看到鱼,上得了孤岛,岛上住着一座佛庙,佛庙的门掩着,庙的花坛边坐着一群鲜艳的年轻女子,我弄不明白那是来庙里烧香的游客,还是鱼上了岸的化身?

汽艇又开始了在海上漫无目的地游弋,几乎是到了海的一角,海水变成了一条河向山垭间漫过去,陪我的人告诉说山垭那边仍是还有一个湖的,面积比这个湖还要大,两个湖便通过这条河连通的。天近了黄昏,穿过河去另一个海是不可能了,却生了玄想,如果要捞鱼,只站在那河里张一个网,那鱼就千船万担地收获了。

"不,"陪我的人叫起来,"两个湖的鱼从不相互往来的,河中间有一块礁石,就叫分鱼石,各自湖里的鱼游到那儿,全都掉头又游走了。"

"这是为什么?"

"这谁又知道为什么,恐怕各有各的地盘,各有各的家园,从不混乱的。"

　　这话说得真好。我说,鱼不混乱,人却混乱了,人污染了自己生存的地方,又以旅游的名义,到处去污染了。我一到云南听说这里环境优美,驱车就来了,从尖山后绕过来时,山脚那边已经是一个很繁华的小镇,有那么多现代的设施和那么多的游客,如果这里向外并没有道路,就那么几户的小渔村,该是多好呢?我一时也烦起了我以及和我一样丑恶的游客,蓦地醒悟了旧城沉没的秘密:是不是当旧城发展得人越来越多,他们就讨厌了作为人的生活而集体变成鱼了呢?

　　从海上返回小渔村,在一家厅室里,我看见了展示的两条青鱼的标本。鱼真是大,大到像一个人躺在那玻璃罩里。介绍的文字说,这两条鱼先后都是从湖里钓上来的。鱼是涂上了防腐剂,看上去如活的一样,我看着鱼眼,鱼眼也看着我,我最后是不敢再看它的眼睛了,退出了厅室,鱼的眼睛还在看着我。

　　夜里,我睡在了昆明市的豪华宾馆的床上,做了一个梦,我梦见了那两条大青鱼,大青鱼似乎在对我说什么,可我终听不明白鱼话,醒来我想起了小的时候看过的一出戏,戏是《柳生传书》。我是不是也该是那个柳生呢,可我给谁传书,传给谁去,怎么个传法?心中总有一团疑窦压着,所以写下了这篇文章求释然了。

2000 年 7 月 29 日

在玫瑰园里

《玫瑰色回忆》是邢庆仁的一幅画,这幅画获得全国七届美展金奖后,他将他的画室起名"玫瑰园"。两年后我成了玫瑰园的常客,那里为我固定了一张椅子、一只水杯和一个用笔洗代用的烟灰缸。

有一次再去玫瑰园,我给妻子的传呼机上留言:我去玫瑰园见庆仁。妻子的传呼机上却显示了:我去玫瑰园见情人。结果发生误会,妻子连续打我手机并赶了来,见到的玫瑰园主是个丑陋的男人,比我更粗更矮,大脑袋剃了,突凸滚圆如是个地雷。她便笑了:这是个和尚么,起这样花的斋号?!从此我们叫庆仁是花和尚。

说庆仁是和尚也确实有几分对,他是个居士,而且正式拜过师父,他在画室里供佛焚香,每每作画都放有佛乐。画室里没栽一朵花,满墙的新作全都有女人,又多是裸体。我每次去总要摸摸石狮的头,汉代的一尊石狮永远在门口,眉眼笑呵呵得像一个老头。我认定这石狮是大观园的焦大,它清楚玫瑰园主人是如何的内心好色。但现实生活里,一有女性在,庆仁就局促不安,或者只咧了大嘴笑,暴露无遗了黄牙。大家便戏谑他画那么多有女人的画,是性压抑的结果。他后来有些改变了,每每朋友聚会,来一个女的,他就让女的和别人"握手握手","拥抱拥抱",但他不握也不抱,说:我给你画肖像吧。一画又画成个裸体。问他怎么能看透人家的衣服,又是哪儿获得到这么多的人体知识?他说他在梦里见过。

庆仁不会说谎,他确实梦多,又离奇古怪,他每天清早一爬起来就画夜里的梦境,自《玫瑰色回忆》之后的很长时间里,他都在画他的梦。这批作品不再刻意主题,也销蚀了笔画,但形象鲜活,想象力极其丰富,弥漫着一种精神的虚幻,却充满了激情。因此,他被人称之为"表现主义画家"。

称"表现主义画家"准确不准确,我说不清,因为我不是画坛人。我问过庆仁,他说他也搞不清,反正他是画家,他活在这个时代,他只画他能画的画。他是个多梦的人,好幻想的人,他更是个在现实生活里欢乐着和痛苦的人,他肯定是不满意那一类题材决定的观点,又反感那种为笔墨而笔墨的画法,他力主着国画革命,却又身处在传统文化积淀极其深厚的陕西,他得有中西绘画杂交后的自己的面目。表现主义原产生于德国,后蔓延各国,可见其面对的是整个人类。中国的现代艺术中,表现主义是很重要的一个方面,它的背景是中国人同样面临了一种生活困境,所以强调表现主义或新表现主义,从某个角度讲也正是强调了时代的一种精神。中国绘画传统为线性的、素描的、水墨的,它的哲学基础和生长的环境是中庸,天人合一,虚与道,而如今中国绘画语境业已改变,艺术家以什么样的精神和姿态进入生活和创作已经是非常重要的问题了。庆仁的画可能有这样那样的不足,但这一批画我们看到了极强烈的主观色彩,充满了批判与关怀,的确与众不同。

因为我认识了庆仁,我也就将我在文学圈里的狐朋狗友也招引到玫瑰园去,那里成了一个艺术活动点。我们原本能影响他多写写文章,加入作协,没想他竟腐蚀了我们,都热乎了书法和绘画。当我们在玫瑰园的一面墙上画满了壁画,又张狂去办个展,庆仁却在相当一段时间里不画画了,说:让我静一静,我恐怕不能老这样画吧?其实他是一直在变着,包括题材、构图、色彩,甚至绘画的材料,他怕自己滑入定式,画得熟而丧失激情。他的样子又有几分像日本人,曾经在大街被一群日本游客错认为是同胞,所以大家又叫过他是"朝三暮四"郎。现在,朝三暮四郎只鼓动和指导我们绘画,他不画,想必在某一日他会打电话让我们去喝茶,到时又会拿出一沓作品让我们惊骇的。

2001年2月18日

五 十 大 话

过了旧历二月二十一日,我今年是五十岁。到了五十,人便是大人,寿便是大寿,可以当众说些大话了。

差不多半个多月的光景吧,我开始睡得不踏实,一到半夜四点就醒来,骨碌碌睁着眼睛睡不着,又突然地爱起了钱,我知道我是在老了。明显地腿沉,看东西离不开眼镜,每一个槽牙都补过窟窿,头发也秃掉一半。老了的身子如同陈年旧屋,椽头腐朽,四处漏雨。人在身体好的时候,身体和灵魂是统一的也可以说灵魂是安详的,从不理会身体的各个部位,等到灵魂清楚身体的各个部位,这些部位肯定是出了毛病,灵魂就与身体分裂,出现烦躁,时不时准备着离开了。我常常在爬楼时觉得,身子还在第八个梯台,灵魂已站在第十个梯台,甚至身子是坐在椅子上,能眼瞧着灵魂在房间里走来走去。曾经约过一些朋友去吃饭,席间有个漂亮的女人让我赏心悦目,可她一走近我,便"贾老贾老"地叫,气得我说:你要拒绝我是可以的,但你不能这样叫呀!我真是害怕身子太糟糕了,灵魂一离开就不再回来。往后再不敢熬夜了,即便是最好的朋友邀打麻将,说好放牌让我赢,也不去了。吃饭要讲究,胃虽然是有感情的,也不能只记着小时在乡下吃过的糊汤和捞面,要喝牛奶,让老婆煲乌鸡人参汤,再是吃海鲜和水果。听隔壁老田的话,早晨去跑步,倒退着跑步,还有,蹲厕所时不吸烟,闭上嘴不吭声,勤搓裆部,往热里搓,没事就拿舌头抵着牙根汪口水,汪有口水了,便咽下去。级别工资还能不能高不在意了,小心着不能让血压血脂高,业绩突出不突出已无所谓了,注意椎间盘的突出。当学生能考上大学便是父母的孝顺孩子,现在自己把自己健康了,子女才会亲近。

二十岁时我从乡下来到了西安城里,一晃数十年就过去了,虽然总是还觉从大学毕业是不久前的事情,事实是我的孩子也即将从大学毕业。人的一生到底能做些什么事情呢?当五十岁的时候,不,在四十岁之后,你会明白人的一生其实干不了几样事情,而且所干的事情都是在寻找自己的位置。造物主按照这世上的需要造物,物是不知道的,都以为自己是英雄,但是你是勺,无论怎样地盛水,勺是盛不过桶的。性格为生命密码排列了定数,所以性格的发展就是整个命运的轨迹。不晓得这一点,必然沦成弱者,弱者是使强用狠,是残忍的,同样也是徒劳的。我终于晓得了,我就是强者,强者是温柔的,于是我很幸福地过我的日子。不再去提着烟酒到当官的门上蹭磨,或者抱上自己的书和字画求当官的斧正,当然,也不再动不动坐在家里骂官,官让干什么事偏不干。谄固可耻,傲亦非分,最好的还是萧然自远。别人说我好话,我感谢人家,必要自问我是不是有他说的那样。遇人轻我,肯定是我无可重处。不再会为文坛上的是是非非烦恼了,做车子的人盼别人富贵,做刀子的人盼别人伤害,这是技术本身的要求。若有诽谤和诋毁,全然是自己未成正果,一只兔子在前边跑,后边肯定有百人追逐,不是一只兔子可以分成百只,是因为这只兔子的名分不确定啊。在屋前种一片竹子不一定就清高,突然门前客人稀少,也不是远俗了,还是平平常常着好,春到了看花开,秋来了就扫叶。

大家都知道,我的病多,总是莫名其妙地这不舒服那不舒服。但病使我躲过了许多尴尬,比如有人问,你应该担任某某职务呀,或者说你怎么没有得奖呀和没有情人呀,我都回答我有病!更重要的,病是生与死之间的一种微调,它让我懂得了生死的意义,像不停地上着哲学课。除了病多,再就是骂我的人多。我老不明白:我招谁惹谁了,为什么骂我?后来看到古人的一副对联,便会心而笑了。左联这么写:著书竟二十万言,才未尽也;得谤遍九州四海,名亦随之。我何不这样呢,声名既大,谤亦随焉,骂者越多,名更大哉。世上哪里仅是单纯的好事或是坏事呢?我写文章,现在才知道文章该怎么写了,活人也能活得出个滋味了,所以我提醒自己:要会欣赏。鸟儿在树上叫着,鸟儿在说什么话呢?鸟的语言我是不懂的,我只觉得它叫得好听就是了,做一个倾听者。还有:多做好事,把做的好事当作治病的良方;不再恨人,对待仇人应视为他是来督促自己成功者,对待朋友亦不能要求他像家人一样。钱当然还是要爱的,如古人说的那样,巨大的胸襟,爱小零钱么。以文字立身用字画养性,收藏古董让古董收藏我,热爱女人为女人尊重,不浪费时间不糟蹋粮食。到底还是一句老话:平生一片心,不因人热,文章千古事,聊以自娱。

我的廿一世紀
平凹

風雲際會大地

丽 江 古 城

我最喜欢的是丽江古城里的水,在西北生活得久了,知道什么为渴望,第一回到昆山的周庄,见到流水穿街过巷,入院过墙,兴奋得大呼小叫,但周庄的水毕竟太软太柔,有一股鱼虾的腥味。丽江古城的水就不一样了,它是玉龙山上下来的雪水,经双石大桥一分而三进城的,清泠有声,洁净无泥。桥有千座,石拱的,石条的,木板的,孔也是单孔双孔和多孔,才驻脚在最古老的栗木板桥头,说那栗木质如石料,那垂柳苍枝如龙蟠,便瞧见河边的浅水里活动着一只小瑞兽,忙趋身近去,是一面石板,上有着瑞兽的浮雕。浮雕绝对是明清时期的物件,我移动不起,便感叹这么好的东西竟丢弃在这里!遂捧水洗脸,趁机咽下了一口,没想就爆响了一片笑声。

笑声在河对岸的木楼上,揭窗高撑,站在窗口的是与我同来丽江古城的王先生和张女士,我们是在四方街走散了的。我先是在一个卖铜器的摊前翻那些铜件,拿了这件又丢不下那件,商贩就把一颗烟递过来和我说话,他说四方街可是古城的心脏,有四条主要街道通向四面八方,每条主要街道在城内又有数十条街巷向四周延伸。我说若没有方的城墙,那这里该是个平放的车轮轴心了。商贩说:丽江古城从来没城墙。这我就愣了,天下还真有城没城墙的?商贩问我从哪儿来,我说是西安,他说:噢,难怪了,你不晓得纳西族的历史。原来隋末唐初，纳西族人就居住在了这里，明洪武十六年这里的土司越过千山万水朝觐了朱元璋，朱元璋给土司起了汉姓木，意思是朱下面为木，让其坐上第一任世袭的丽江军民总管府的宝座。木府土司从那时起就建设城市，但偏不修城墙，认作木字四周有墙便是困字，怕影响木家的兴旺发展。故事说得颇为有趣，商贩越发地得意，又介绍说早先这里是土坪场，后来用五花石铺成了一个府印之状的广场，又在广场沿河一边修了水闸，每日日落散市后，关闸漫水，西河水自然通过广场和七一街、五一街流向中河，就将广场和街道冲洗得干干净净了。城市有这么个清洁法，真使我如听神话，仰头看看日头，日头才到当顶，指望着目睹关闸漫水的场面是不可能了，这才想起一块儿游四方街的王先生和张女士，但这里摊贩云集，人头攒拥，哪里寻得着他们的身影？现在不期然而然竟又遇着，张女士尖声打趣我：不见你了，还以为你尾随了哪一位纳西姑娘去人家吃茶了！我说你怎么知道的，我真的尾随了一位姑娘直走到卖鸭桥头，她进了一家店里吃鸡豆凉粉，她拿眼窝我，我便离开了，但我并不是要对她非礼，我是欣赏她的披肩哩！纳西族妇女的服饰是非常美丽的，差不多宽腰大袖，前幅短后幅长及胫的镶边裙儿，外加紫色或青色的坎肩，下着长裤，腰系多折，绣有蜂蝶图形，而围圈上则用金线和彩丝绣了图案，称作"披星戴月"。"披星戴月"这四个字汉族里是形容辛劳的，纳西族人却使它产生了诗意。南方的妇女比北方的妇女要劳苦，纳西族妇女更是如此，除了家务仍要务农经商，什么都靠肩背，昨天下午在进城的路上我是看见过一个七十多岁的老太太，腰已经弯得厉害,却仍是背着一个大背篓,背篓里高高装着杂物,背篓的宽背带斜系在肩上,因为太重,一只手紧紧抓着背带,但她的脚步很稳。今天早晨,我起得早,在宾馆后的小坡上散步,更是有一群妇女往坡上背石头,可能是坡上正修建什么,她们是将大块的石头放在背上,用绳搂着一直到脖前,坡道在转弯时路面太陡,架了木板,木板上横着钉了木条,她们就踩着木条吭哧吭哧往上走,那腰系的多折随之摆动,其上的蜂蝶图案如活了一般。我说完了我的见闻,张女士说:"你到楼上再看看吧,更有叫你稀罕的事哩!"拉着我就上了楼。

楼是木楼,明代的物事,那楼梯的扶手,二楼的护栏,以及所有的门和窗,都有着十分精致的雕花。在内地的安徽和山西,有至今保存得完整的明清村落,依然雕梁画栋,但汉族民居的雕刻多是历史人物故事图,而纳西族信奉万物有灵,崇拜多神,他们雕刻的几乎全是飞禽走兽花鸟草木。站在楼道上往远处一看,全城尽在眼下,你看到的没街没巷,屋的檐角翘起的瓦顶皆密密麻麻浮着,如黄河开冻后涌下的浮冰。而看楼旁的几处院落,认得哪一所是三坊一照壁,哪一所是四房五天井,哪一所又是一进两院,什么是妹楼、明楼,什么又是走马转角楼。进了楼上一间房中,原来是木雕工艺店同时也是作坊,四壁挂满了各种变形人兽雕件,一老者戴着老花镜正刻一只青蛙圆盘,他刻得真好,先是在木圆盘上涂上了一层墨,然后并不画草稿,刀就在上面来回走动,刻剔出的是白,留下来的是黑,外一圈是狼狐虎豹头,中间是一个人面蛙身神,拙朴生动。我连声叫好,掏钱把蛙盘买下了,张女士说让女儿在盘背面留下名姓吧,我有些迟疑,以为这是张女士在戏弄我了,可她却把我推进里边的套间里,套间里果然坐着一位极漂亮的姑娘,姑娘正在灯下抄写什么。近前看了,不觉大惊,她用的是方杆竹笔,写的是象形文字。来丽江古城,是受纳西人的象形文字而诱惑的,虽在街上看到了每家店牌的汉字下写有象形文,但毕竟还未目睹更多的象形文字,而且是现场书写。老实讲,这些象形文字我大略能看出每一个象形要代表的意思,但一个字一个字连起来就如对了天书,更不知其读音。姑娘告诉我,她这是抄写东巴教经文的。东巴教是纳西人的一种古老宗教,其图画象形的文字是当今世界上唯一保留完整的活着的象形文字,东巴文写成的东巴经有两千余册一千多种,内容涉及宗教、历史、语言、文学、天文、地理、哲学、医学、神话、艺术等等,堪称纳西古代的百科全书。我们赞叹着她这么年轻竟会东巴文,她羞涩地说她也是才学的,如果晚上去看古乐会表演,东巴教祭司东巴,也就是神父身份的老者会在场,老东巴才是集巫、医、学、艺、匠于一身的。我们忙打问了晚上古乐会在哪儿表演,几时开演,并要求姑娘在蛙盘上签名留念,姑娘提笔写了,我只认得了"一九九九年　月　日",因为一是画了一个逗号,九是画了九个逗号,月是画了个半月,日是画了个太阳。

晚上,我们寻着了古乐会演出地,想不到的全城竟有数家古乐会同时演出,先去了一家是乐舞并举,场面极其的华丽和神秘,演奏的是以道家的洞经古乐《玉清无极总真文昌大洞仙经》和儒家典礼音乐为载体保存了部分唐宋元明的词曲牌音乐和纳西先民的"巴石什礼"音乐,这些曲牌在内地早已失传,却奇迹般地保留在丽江,并世代相传! 音乐奏毕,主持人宣布老东巴领衔表演东巴舞,但见演奏者中的那个有着雪白胡须的老人走了出来,说了一通东巴语,随之表演起了蛙舞,身手敏捷,而且表情万般丰富。可惜观看的游客太多,演出厅里连过道都挤满了人,我们不可能去台上和老东巴见面。待一场演出完毕,我们来到了街上,兴趣并未退去,急忙忙又往另一演出点跑,遗憾的是那里的演出刚刚结束,乐队已经离开了,但我们有幸被允许进去看看演出厅。这个演出厅是一座有着七八个朱红木柱的大房子,摆满了一排一排木椅,而地上则铺着厚厚的柏朵,演出台宽敞而略高,各种隔栏和木架,摆放着乐器和奇奇怪怪的人神面具,台墙上绘有图腾壁画,供奉了什么神位,有木雕的也有泥塑的。厅内灯已经关闭得只留下四角各一盏,乐器和神像发着幽光,驻脚留意进厅处的木板墙上的一溜镜框,里面是多位古乐会的老乐师,他们都穿着刺绣着龙凤和团花的长袍,又都是白胡飘胸,手执着二胡、板胡、琵琶、三弦,神态庄严,高深古雅。我们虽然未聆听到这些老者的演奏,但面对着皆是八十岁以上的古乐演奏的活化石们的照片,感觉到在天上,在大厅里,在我们心里旋律骤起,进入了一个崇高、空灵而远古的梦境之中。

丽江离西安的距离实在是太远了,但在丽江的两夜一日中总恍惚我并未离开西安,或者我就在西安。造物主造就了这个地球和人类,哪儿都有好山好水,有好山好水的地方就有人类,有人类就有着智慧,这便是丽江古城给我的启示。现在丽江古城被联合国批准为世界文化遗产,受到了保护,我将把这两夜一日今生今世保存在心里。

2000 年 4 月 4 日

玉 虚 洞

洛南县城北三十里有座山,山下人家都种桑麻,桑麻成熟后,村人喜欢燃麻秆火把到半山上的一个洞里玩耍。洞很大,结构错综复杂,钟乳石以其形态分人间和佛界两大景区,人间万类莫不逼真,佛界则是几大水潭,悬浮大小莲花荷盘,踏步而进,水幽黑清净,倒映洞顶,水域贯通,一片透澈,人有飘然欲仙之感。洞中有无数石隙窟穴,不时有蝙蝠飞出,以石子丢进,豁朗朗有响声,火把扔下去却立即熄灭,无人敢探究深浅。匍匐过一窟道,窟石洁白晶莹如雪砌,寒气销骨,用石敲顶,空音嘭嘭犹似楼板;用脚跺地,地亦空然,且微微晃动,知洞上洞下仍有一层,就怀疑整座山都是空的。

陕西发现大型溶洞有两处,一处在柞水县,早已成为游览胜地,再就是这个溶洞,五年前洛南文化局来人找我写玉虚洞洞名,准备开发,我问为什么叫玉虚洞,他们说当地人历来这么叫的,并不知其意。写时我没有去过,今年十月去洞里看了,大为惊奇,在洞深处的那个龙形潭边掬水洗眼,抬头看见石壁上有密密麻麻一片黑字,是麻秆炭写的,凑近用手拭拭,拭不掉。其中有一行是:"嘉庆二年六月,知县求水,大雨即霖",悚然敬畏。出洞下山,在村口人家问今年桑麻收成,吃了一碗包谷面漏鱼,十分爽胃,又吃了一碗。

2002 年 10 月 6 日

黄　河　魂

　　看黄河可以去许多地方,但要看黄河的精神气势,去小北干流中段的西岸最好。若从合阳县东的土塬下来,几十里宽的河滩上烟波浩淼,你会惊叹黄河出了龙门后是多么的自由,自由使黄河没了暴戾,舒缓却更加壮阔深沉。一边是数百米高的黄土峡壁如暮云堆积,一边是大水走泥,稠铜滥漫;天老地荒,世事沧桑,你能不为自己的生命存在而锐声呐喊吗?如果能在这里多待上些日子,黎明早起就可以饱览黄河之水为什么是"天上来",天近傍晚又可领略长河落日是如何的圆。黄河是二十四小时里因阴晴雨雪而变幻着颜色,主流道的开合聚散却以三十年的时空演绎着它或在河东或在河西的谚语。夏日里,上千米的河床会在瞬间崩岸,河中的沙峰像地毯一样卷起,那是黄河在"揭底"。秋冬两季,水底有牛吼般的声音间或响起,这是黄河又在"地啼"。什么是魂魄,附气之神为魂,附形之灵为魄;太多的瑰丽太多的雄浑和太多的神秘,使黄河在这里构成了天下最独特的声与色的奇观,所以我称这里是"黄河魂"景区。

说 舍 得

　　世界是阴与阳的构成,人在世上活着也就是一舍一得的过程。我们不否认我们有着强烈的欲望,比如面对了金钱、权势、声名和感情,欲望是人的本性,也是社会前进的动力。但是,欲望这头猛兽常常使我们难以把握,不是不及,便是过之,于是产生了太多的悲剧:有人愈是要获得愈是获得不了;有人终于获得了却大受其害。会活的人,或者说取得成功的人,其实懂得了两个字:舍得。不舍不得,小舍小得,大舍大得。翻读古书,历史上有过了许多著名人物,韩信能胯下受辱方成大器;勾践卧薪尝胆终得灭吴;田忌与齐王赛马,以下驷对齐上驷,上驷对齐中驷,中驷对齐下驷,舍了小负之悲,得了全胜之喜。人是如此,万事万物何尝不也是这样呢? 蛇是在蜕皮中长大,金是在沙砾中淘出,按摩是疼痛后的舒服,春天是走过冬天的繁荣。回顾我们经历过的事吧,许多时候我们因没有小忍而坏了大谋,许多时候我们吃了一点亏懊丧不已不久却赢取了利好,为了保持我们的本身没有被一时的浮华迷惑,声名太盛则又使我们失去了行动的自在。舍舍得得、得得舍舍就充满在我们琐碎的日常生活中,演绎着成功和失败的故事啊,舍得实在是一种哲学,也是一种艺术。

2002 年 4 月 8 日下午

在旧历壬午二月二十一日
五十寿宴上的讲话

各位亲朋好友：

承蒙大家的深情厚意,在今天从四面八方赶来和我欢聚在这里!

这一天,太阳在照耀着我们,春风在吹拂着我们,所有的树木绽芽,花草吐蕊,飞鸟和昆虫都一起欢叫和嘶鸣。菩萨与我们同在啊,因为今天也是普贤菩萨的生日,它让我们多么的安详和快活。上帝也来到了这里,赐给了我们丰盛的食物和醇美的醴酒。饭店门前是西安最大的街道,街道是城市的河流,车辆和人群日夜流淌,它正在象征着我们前进的事业、不竭的财富、活泼的生命精力,以及我们长远的友谊。

五十年前的二月二十一日,我降生于陕西南部的一个山村,从那时起,我每日三餐都有地上的五谷杂粮喂养着我,我走到哪儿,天上的太阳和月亮都沐浴着我,十九岁我从乡下来到了西安,开始了我的学习、工作、写作和创业,我先后调换过四次部门,迁居过九次房子,也写下了五十多部书和数以千幅的字画,我做每一件事无不有各种神灵在点化、招引着我,无不有一拨一拨的同学、同乡、同行、同志、同道、同仁帮助和呵护。社会历史的潮起潮落,世事人物的更新变幻,五十年了,我从少年青年到中年,从一个无知的乡下孩子到了今天有家有室有了事业。回首走过的一半人生,我有过胜利,也有过失败,得意过,也挫折过,欢笑过也落泪过,享受了掌声和鲜花,同样享受了烦恼和诋毁。这半生是丰富的!我现在深深体会到在这个世界上作为人活着的美好。在此,我要向天地致谢,向各路神圣致谢,向父母致谢,是他们给了我的肉体和灵魂。我要向这个世界致谢,让我经历了沧桑,见多识广,增长了智慧。今天到这里来的,都是这几年来往亲密的,关系友好的,又容易赶来的各方面朋友,你们是我在这个城市生活中、工作中、学习中、从艺中所重要的所亲爱的,我向你们致谢。同时,我还要向那些在远方的,或不知道消息的,或因种种原因未能来的,可以说半生来与我有着各种关系的人们致谢。爱我的人和支持我的人,是在前边拉我,给我以滋润和鼓劲,恨我的人和反对我的人,是在后边推我,给我以清醒和督促,正是这正正反反两股力量的作用,成就着我这五十年。当然,我还要向先后伴随了我几十年的钢笔、油笔、毛笔致谢,它们转化了我的生命形态,使种子变成了大树,使蚕蛹变成了飞蛾。我最后要致谢的还有我的身体。致谢我的大脑、心脏、肝肺肠脾胃、四肢七窍,以及头发和牙齿,它们经受了病痛折磨,还仍在顽强地正常地工作。

二月二十一日,这一组数字是我的生命密码,我崇尚二二一,敬畏二二一,面对着二二一这一天,面对着到来的各位亲朋好友,面对着大的寿糕,我祈愿上苍神明,在后一半人生中请赐给我智慧和力量,自在和和平平,使事业辉煌,身心快乐!我向各位请求,我热爱你们,你们也继续爱我,关怀永远,友谊长驻!

　　此致

敬礼!

茶　事

以茶闹出过许多事来：

我的家乡不产茶,人渴了就都喝生水。生水是用泉盛着的,冬天里泉口白腾腾冒热气,夏季里水却凉得碜牙。大人们在麦场上忙活,派我反反复复地用瓦罐去泉里提水,喝毕了,用袄袖子擦着嘴,一起说:咱这儿水咋这么甜呢! 村口核桃树旁的四合院里住着阿花,她那时小,脖子上总生痱子,在泉的洗衣池中洗脖子,密而长的头发就免不了浸了水面,我想去帮她,却有些不敢,拿树叶叠成小斗舀水喝,一眼一眼看她,王伯家的狗也来泉里喝水,就将我的瓦罐撞碎了。我气得打狗,也对阿花说:你赔我,你赔我! 阿花说:我赔你什么,是我撞碎你的罐子吗? 后来阿花大了,我每日都想能见到她,见到了却窘得想赶紧逃走,逃到避人处就又发恨,自己扇自己耳光。阿花的一个亲戚在关中平原,我们称山外人的,他突然来到阿花家,村人都在议论小伙子是来阿花家提媒了。这事使我打击很大,但我不敢去问阿花,伺机要报复那山外的人。山外没有核桃,我们摘了青皮核桃让他吃,他以为任何果子都是肉包核,当下就啃了一口,涩得舌头吐出来。又在他钻进水茅房大便的时候,拿了石头往尿窖子里一丢,尿水从尿槽子里溅上去,弄了他一身的肮脏。他一嘴黄牙,这是我最瞧不上的,他说他们那儿的水盐碱重,味苦,没有山里的水甜,他说这话时样子很老实,让我好生得意。可是第二天,我从泉里提了一大桶凉水往麦场送的时候,他看见了,却说:你们不喝茶啊?我说这儿不产茶。他说:我们山外吃饭就吃蒸馍,渴了要喝茶的。他的话把我噎住了,晚上思来思去觉得窝火,天明的时候突然想出了一句对付的话:山外的水苦才用茶遮味哩,我们这儿水甜用得着泡茶吗?中午要把这话对他说,但没有寻着他,碰着小三,小三说:你知道不,山外黄牙走了,早上坐车回去啦!我兴奋他终于走了,却遗憾没把想了一夜的话当面回顶他。

到了七十年代末,我从家乡到了西安上大学,西安的水不苦,但也不甜,我开始喝开水,仍没有喝茶的历史。暑假里回老家,父亲也从外地的学校回来,傍晚本家的几位伯叔堂兄来聊天,父亲对娘说:烧些煎水吧。水烧开了,他却在一只特别大的搪瓷缸里泡起了茶。父亲喝茶,这是我以前并不晓得的,或许他是在学校里喝,但把茶拿回家来喝,这是第一次。伯叔堂兄们都说:喝茶呀?这可是公家人的事!茶叶干燥燥的,闻着有一股花香味,开水一冲就泛了暗红颜色。这便是我喝到的头口茶,感觉并不好,而且伯叔堂兄们也龇牙咧嘴。但是,那天的茶缸续了四次水,毕竟喝茶是一种身份地位的待遇。父亲待过几天就往学校去了,剩下的茶娘包起来放在柜里,那一年大旱,自留地里的辣子茄子旱得发蔫,我和弟弟从河里挑水去浇,一下午挑了数十担,累得几乎要趴在地上,一回家弟弟就说:咱慰劳慰劳自己吧。于是取了茶来泡了喝。剩下的茶就这么每天寻理由慰劳着喝了,待上了瘾,茶却没有了。因为所见到的茶叶模样极像干蓖麻叶末或干芝麻叶末,我们就弄了些干蓖麻叶揉碎了用开水泡,麻得舌头都硬了,又试着泡芝麻叶,倒没有怪味道,但毕竟喝过半杯就不想再喝了。

在大学读书了三年,书上关于茶的描述很多,我却再没有喝过茶,真正地接触茶则是参加工作后,那时的办公室里大家各自有个办公桌,办公桌的抽屉是加了锁的,每人的面前有一只烟灰缸和一只茶杯。开水是共同的,热水瓶里没水了,他们就喊:小贾小贾,瓶里怎么没水了?!我提了瓶就去开水房打水,水打了回来,各自从抽屉里取了茶叶捏那么一点放在杯里,抽屉又锁上了,再是各自泡水喝。大家是互不让茶的。有一天办公室只有我和老赵,老赵喝茶是半缸子茶叶半缸子水,缸子里的茶垢已经厚得像刷了生漆,他冲了一杯,说:你喝茶不?我说我没茶。他给我捏了一点,我冲泡了喝起来,他告诉我谁喝的是铁观音茶,谁喝的是茉莉花茶,谁又是八宝茶,开始又嘟囔谁个最没意思,自己舍不得买茶却爱喝茶,总是占他的便宜。我听了心里就发寒:他一定要记着今日给过我茶叶的事的。正是因为有了要还他茶叶的念头,也考虑了别人都喝茶我喝白开水显得寒酸的缘故,在月初发薪时,我咬咬牙从三十九元的工资里取出两元钱买了一筒茶,首先让老赵喝了一次。就是这一筒茶使我从此离不开了茶。好多年间,我已经是很标准的办公室人员的形象了:准时上班,拖地擦桌子,然后泡一缸茶,吸一支烟,翻天覆地地看报纸。先后喝过的是花茶、砖茶、八宝茶,脑子里没有新茶陈茶的概念,只讲究浓茶和淡茶,也知道空腹不要喝茶,喝了心发慌,晚上不要喝浓茶,喝了失眠,隔夜茶不要喝,茶垢不要洗。唯一与办公室别的同志不一样的是喝八宝茶时得取出里面的枸杞,枸杞容易上火,老赵就说:给我给我。他把三四粒枸杞丢进口里嚼,说这可是好东西哩!

那年月干部常常要下乡,我从事的是出版社的编辑工作,要了解各县的文艺创作状况,就在苹果仅仅只有核桃般大的时节去一个县上,县委宣传部的一个干事接待了我,正是星期六,他要回家,安排我夜里睡在他办公兼卧室的房间里,临走时给了我去灶上吃饭的饭票,又叮咛:要喝水,去水房开水炉那儿灌,茶叶就在第二个抽屉里。夜里,宣传部的小院里寂静无人,我看了一会书,觉得无聊,出来摘院子里的青苹果吃,酸得牙根疼,就泡了他的茶喝。茶只有半盒茶,形状小小的,似乎有着白茸毛,我初以为这茶霉了,冲了一杯,杯面上就起一层白气,悠悠散开,一种清香味就钻进了口鼻,待端起杯再看时,杯底的茶叶已经舒展,鲜鲜活活如在枝头。这是我从未见过的茶叶,喝起来是那么的顺口,我一下子就喝完了,再续了水,又再续了水,直喝下三杯,额上泛了细汗,只觉目明神清,口齿间长长久久地留着一种爽味。第二天,一早起来我又泡了一杯,到了中午,又泡了一杯,眼见得茶盒里的茶剩下不多,但我控制不了欲望,天黑时主人还没有返回,我又泡了一杯。茶盒里的茶所剩无几了,我才担心起主人回来后怎么看待我,就决定再不能在这里待下去,将门钥匙交给了门房去街上旅舍去睡,第二天一早则搭车去了临县。那么干事到底是星期天的傍晚返回的还是第二天的黎明返回,我至今不知,他返回后发现茶叶几近全无是暗自笑了还是一腔怨恨,我也不知,我只是十几天后回到西安给他去了一信,表示了对他接待的感激,其中有句"你的茶真好",避免了当面见他的尴尬,兀自坐在案前满脸都是烫烧。

贼一样喝过了自觉是平生最好的茶,我不敢面对主人却四处给人排说,听讲的人便说我喝过的那一定是陕青,因为那个县距产茶区很近,又因为是县委的人,能得到陕青中的上品,又可能是新茶。于是,我知道了所谓的陕青,就是产于陕西南部的青茶,陕西南部包括汉中、安康、商洛,而产茶最多的是安康。我大学的同学在安康有好几位,并且那里还有我熟悉的几个文学作者,我开始给他们写信,明目张胆地索贿,骂他们为什么每次来西安不给我送些陕青呢,说我现在要做君子呀,宁可三日无肉,不能一晌无茶啊!结果,一包两包的茶叶从安康捎来,虽每次不多,却也不断,但都不是陕青中的上品,没有我在宣传干事那儿喝到的好。再差的陕青毕竟是陕青,喝得多了,档次再降不下来,才醒悟真正的茶是原本色味的,以前喝过的花茶、胡茶皆为茶质不好用别的味道来调剂,而似乎很豪华的流行于甘、宁、青一带的八宝茶,实是在那里不产茶,才陈茶变着法儿来喝罢了。从此以后,花茶是不能入口了,宁喝白开水也不再喝八宝茶,每季的衣着是十分简陋,每日的饭菜也极粗糙,但茶必须是陕南青茶,在生活水平还普遍低下的年月里,我感觉我已经有点贵族的味道了。

当我成了作家,可以天南海北走遍,喝的茶品种就多了,比如在杭州喝龙井茶,在厦门喝铁观音茶,在成都喝峨眉茶,在云南喝普洱茶,在合肥喝黄山茶,有的茶价五百元一斤,有的甚至两千元。这些茶叶也真好,多少买了回来,味道却就不一样了,末了还是觉得陕南青茶好。说实在的,陕青的制作很粗,茶的形状不好,包装也简陋,但它的味重,醇厚,合于我的口舌和肠胃,这或许是我推崇的原因吧。

为了能及时喝到陕青,喝到新鲜的陕青,我是常去安康的,而且结交了一批新的安康的朋友,以至有了一位叫谭宗林的专门在那里为我弄茶。谭先生因工作的缘故,有时间往安康各县跑,又常来西安,他总是在谷雨前后就去了茶农家购买茶叶及时捎来,可以说我每年是西安最早喝到新陕青的人。待谭先生捎了半斤一斤还潮潮的新茶在西安火车站一给我打电话,我便立即通知一帮朋友快来我家,我是素不请人去吃饭的,邀人品茶却是常事,那一日,众朋友必喝得神清气爽,思维敏捷,妙语迭出,似乎都成了君子雅士。谭先生捎过了谷雨茶,一到清明,他就会在茶农家几十斤地采购上等青茶,我将小部分分给周围的人,大部分包装好存放于专门购置的大冰柜里,可以供一年享用了。朋友们都知道我家有好茶叶,隔三岔五就吆喝着来,可以说,我的茶客是非常多的。

我也和谭先生数次参加一些城里的茶社庆典活动,西安城中的大小茶社没有我未去过的,为茶社题写店名,编撰对联,书写条幅,为了茶我愿意这般做,全不顾了斯文和尊严。我和谭先生也跑过安康许多茶厂,人家叫干什么就干什么,平日惜墨如金,任何人来索字都必要出重金购买,却主动要为茶厂留言,结果人家把题写的条幅印在茶袋上、茶盒上满世界销售,明明是侵犯了我的权益,又无故遭到外人说我拿了多少广告费,人是不敢有缺点的,我太嗜茶贪茶,也只有无话可说。人的一生要交结众多朋友,朋友是走一

大河流过我的船

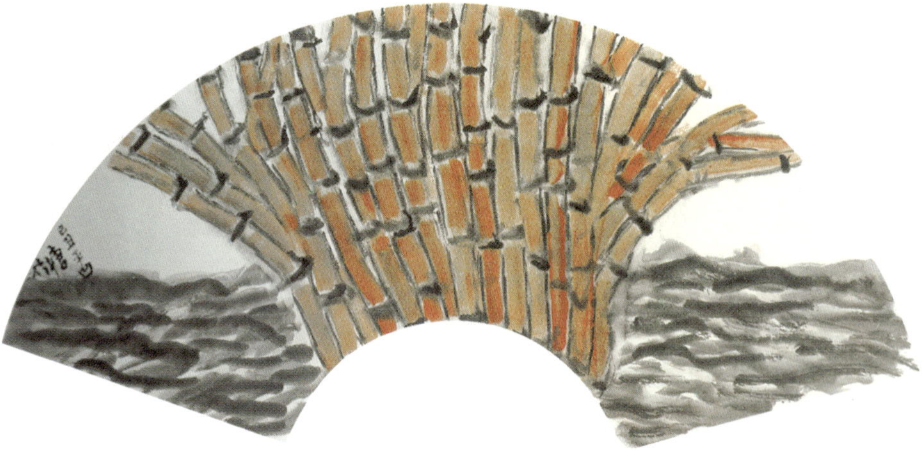

批来一批的,而最能长久的是以茶为友的人。我不大食肉,十几年前因病戒了酒后,只喜欢吸烟喝茶,过的是有茶清待客,无事乱翻书的日子。每当泡一杯陕青在家,看着茶叶鲜鲜活活的可爱,什么时候都觉得面对了春天,品享着春天。茶叶常常就喝完了,我在门上贴了字条:"送礼不要送别的,可以送茶。"但极少有送茶来的,来的都是些要喝我茶的人,这时候我就想起唐代快马加鞭昼夜不停从南宁往长安送荔枝的故事,可惜我不是那个杨贵妃,也不知谭先生现在哪?

数幅木刻年画

西安古玩城里一家姓程的门面,突然一日挂出了一幅木刻年画,明末清初制品,三尺开方,题"天仙送子"。古时年画的情形不知道,现在年节里出售的画多是下边印着日历,上边是当红的女影星照或男影星照,但五十年代,即我六岁七岁的时候,赶集会买年画却是一件大事,牵着父亲的手在那街西头铺了一大片的画幅里挑过来选过去,最后买下小孩抱着一条鱼的,骑着一只鸡的——既"吉庆"又"有余"——回来用糨糊贴在炕头墙上。年画是很难被人保存的,买来就贴上墙,三月四月也就损坏了。姓程的门面里挂出了木刻年画,既是古物,又画面上一主一仆一童,面目雅洁,衣饰华丽,足踩祥云,手持莲花、灯盏等物,更是染红、蓝、黄、白、紫、黑六色,生动有趣,温润高贵,立即吸引了好多人去观赏。有数位很著名的画家轮番前来讨价,主人一一回绝:此画属非卖品。画家仍不甘心,若不肯出售能否以画易画,或者以自己的画或者以他人的画,主人说:交易可以,我要贾平凹的书法。此话很快传到我耳里,我便去了,果然画是中国木刻年画中的佳品,顿生爱怜之心,遂和程氏达成条件,他取出十五张三十年代鲁迅、郑振铎等人制作的华笺纸让我自存三张而随意在十二张上书写小字,他当下搭椅从墙上取下年画,连画框一并让我拿走了。

我很快在家写好了字给他送去,他显得十分高兴,又便宜卖给了我几幅姚伯多拓片,他说他年轻时就喜收藏,退休后无事,来古玩城租了这间门面,但他并不重在赚钱而是以此以物易物,进而收藏他喜欢的东西。这么看来,此年画落入我手自是一种缘分,也是程氏挂出年画故意要钓我!从此我和程氏就成了朋友,凡去古玩城,都往他的门面里喝杯茶,吸颗烟。年画挂在了我的书房,来人莫不说好,尤其是一些画家立在画前要端详半天,看着他们的神色,我就十分的得意。也就在四五个月之后吧,我再去程氏的门面,他竟又拿出了八幅装裱成轴的年画,全部是四川版的,虽也世间稀罕,但品相已大不如"天仙送子"图,我仍是以四幅字换了来。有了九幅古版年画,我倒想起了十多年前一件蠢事,当时有人从凤翔回来,给我带了一对宋代版印的门神年画,刀法流畅,套色鲜艳,我竟贴了在门上。现在门神还贴在门上,一边是秦琼一边是敬德,只是来我家的客人多,他们已被敲烂了。人在年轻的时候,崇尚所谓的"高雅",让人画油画,上街买油画框,甚至跑到北京去看那些大家名家的绘画展览,对于民间的花花绿绿的东西不屑一顾,宋版门神年画之所以用糨糊严严实实贴在门上也就是觉得庸俗而已。中年之后,却认作古版年画的好,俗到了极处便雅到了极处。"天仙送子"图上除了套色外,还有着印刷后的染色,可能是大批量的印制,染色的人或许是技术太熟练,或许是工作了许久已经疲倦,那用淡墨染云的刷子就一下子刷下去,结果一半刷在云纹上,一半竟刷在云纹外。这种错误在那时肯定挨过老板的呵斥,但到了现在,却别有一番情趣可人了。年画是很难被收藏的,它的实用性更强,而这幅画完整无缺地被流传下来,是哪一家的蠢媳妇买回放在箱底被遗忘了呢,还是雕印坊积压下的制品?我每每读书写作之余对画凝思,就恍惚觉得画前有人影在动。

到了今年的清明,山西临汾的秦先生忽然来访,他是知我秉性的,带的礼是一卷土织布和一个画框,画框里竟是一幅平阳木刻年画《隋朝窈窕呈倾国之芳容》。这真是一幅好东西!平阳为中国四大雕印中心之一,此年画的原版现存于莫斯科博物馆。这幅年画与我所藏的年画决然不同,画面是四大美人绿珠、王昭君、班姬、赵飞燕。绿珠左手提裙登阶,回眸又望右手所持的玉麒麟,风情毕现;王昭君身着异族服饰,执笔修书,神情沉郁;赵飞燕金饰玉佩,袖手昂头,志满意得;班姬持扇列后,文静矜持。整个画面素色,讲究线条,一派清穆之风。秦先生虽是官场之一人,酷爱文学,两人以文字交友,他能将如此佳品赠我,喜得我忙不迭地敬烟敬茶。

我是平头百姓,从未做过登临天安门城楼的梦,喜欢收藏以来,只好民间的物事。《天仙送子》洋溢的是温馨和喜悦,《隋朝窈窕呈倾国之芳容》题材虽皇家内容,但将汉晋两朝人物于一图,这也是民间的视角和态度。正因为是纯民间的东西,它有它的鲜活感,其经济价值并不高,却让我视之家宝。两年之间,陡然有两位天仙四大美人来我陋屋,试想想,古往今来谁有过此等福分?可收藏其实是藏品在收藏人,我的福分却正是让我来护佑和奉敬她们的。今夜里,在两幅年画前设案焚香,默想着那些雕刻木板的人,印制的人,数百年曾辗转护佑的人,能否在什么时候两位天仙四大美人破纸而出就坐在我的书房里慢声细语呢?看着香烟袅袅而起，我席地而坐，也燃起了一支烟吸着，便两句话生出心头——

焚香供仙，

吸烟自敬。

2000 年 4 月 8 日

吉祥的一次

二〇〇〇年秋天,我沿古丝绸之路走了一趟。在嘉峪关,接待我的是部队上的同志,说他们偶尔发现了一个怪坡,上去容易下来难,外界还没人知道,问有没有兴趣去看看。这当然有兴趣啦,水往低处流,人往高处走,而往高处走又不费力气,那是多好的事!下午便驱车往嘉峪关南的文殊山赶去。

文殊山外是一大片戈壁。介绍说这里曾出没过黄羊,但二十年来作为了某装甲部队的训练演习基地,便什么也没有了。车子往前走,颠簸得如浪中的船,果然除了沙石、骆驼草和作为靶点的土墩,天上没见到一只麻雀,地上拉一泡大便也招不来个苍蝇。西边天地苍茫处有一股直直的白烟,才念了一句"大漠孤烟直",白烟就到了眼前,原来是小的龙卷风。

一小时后,车靠近了文殊山,能看见了山上的积雪。到一面长长的斜坡上,陪同的人说:到了。坡面确实是陡的,车加大了马力,下行仍是缓慢,到坡底调过车头,已经熄灭了火,仅仅松开闸,却急速地往坡上滑去。这情形若不是亲眼见到,说给谁都以为在说谎。司机让我亲自试试,我不敢,因为我从未摸过方向盘,但我将一只备用的车轮从坡下往上一推,车轮竟快得追不上。我大呼小叫同伴快给我照相啊,天下若都有这样的路,我哪儿也能上去了。

我毫不费力地跑上坡顶,卧在那里,感觉我是高人。

我提议这怪坡不要公开。

天近了黄昏,我们恋恋不舍地要返回,回去了三四里又停下来扭头看,企图再从远处给怪坡拍一张相,但更奇异的事就发生了,在距我十米外的一条干水沟畔出现了两只小黄羊!黄羊刚才在什么地方,怎么就突然站在那里,我们全都回不过神来,待齐声惊叫:黄羊!黄羊!黄羊向前跑了数米,四肢轻巧得如舞蹈,又立定了,又回头看我们,遂一股风般跑远,最后和戈壁的颜色融在一起,什么也没有了。同伴说二十年了从来还未见过有黄羊呀,今日怎么就这般奇怪,又遗憾没有带枪来,要不晚上就可以有一顿野味餐了。

我说:就是带枪,也不能打的,它是瑞兽,绝对是瑞兽。

这一天是九月的十五日。

2000 年 10 月 13 日记

《怀念狼》中文繁字版序

当我带着一串钥匙在水泥山区的城市里打开了属于我的房间的门,当我填写着各种报表将我分解成了一堆阿拉伯数字,这个时候,我就想起了狼,想起了有狼的乡村和童年。

千禧年的夏天,写小说的贾平凹因为身心的孱弱不堪,将对狼的怀念记录为文字,从此他惹下了一场风波。他所能知道的,是他现居住的西安城里相当多的人买书回家,一边读着,一边拍了脑门:哦,狼真的与我们远去了!是什么时候远去的呢?似乎有狼的岁月刚刚过去,又似乎不记得了狼已经是非常非常的久远了。于是,有人在骂:我们需要狼吗,狼值得怀念吗?有人去构起了自己所能了解的狼事,讲给他的孩子听,也把更奇妙的狼的故事提供给作家。谁都明白这仅仅是小说,也绝不是在说生态和环保,但这个夏天,西安的球市非常火暴,原本是甲 B 的陕西足球队飘扬着有着狼头图案的队旗踢进了甲 A,同时有两家叫着"西北狼"名称的啤酒和白酒销售疯狂,而动物园里那几只丑陋的活狼被更多的人去参观、逗弄和拍照。

我是混在了人群也去过了一次动物园,我看见一个人牵着他的孩子,孩子手里拿着一本才买到的《怀念狼》,他们看过了那笼子里的狼,大人对着孩子说:"那不是真正的狼!"这话说得多好,在没有了狼的今日,人们更相信足球队旗上的图案和酒瓶商标上的狼才是真的。曾经伴随着、对抗着同人类一路而来的狼已经成了人类记忆中的符号和审美中的形象了,这如同蹲在了寺院、商场、公司门口的石狮。

现在,《怀念狼》由香港明报出版社以中文繁字版本印刷发行,我高兴的是我的书让狼走进了另一个人群,但我惶恐的是在更具现代化的香港和海外的都市里是否还会有对狼的怀念之情呢?

中国民间是一代一代流传过一个故事,说的是一个牧羊的孩子有一天在山上喊狼来了,村人都跑出来撵狼,但没有狼,是孩子在说谎。当又有了一天,孩子又喊狼来了,村人再不相信,谁也不出来撵狼,可这一次真的是狼来了,结果狼就把村里的羊全部咬死。我想,我就是了那个孩子,当然我在说怀念狼。

当怀念起狼,是狼已经没有了,那么,怀念狼怀念的是狼吗?狼值不值得怀念?除了狼我们还怀念了什么?

2000 年 12 月 4 日

《散文研究》序

《美文》建刊已经百期,这一天应是我们的节日,热闹得如过小儿的满月和给大人祝寿。但华灯结彩、四方来贺于满月里的小儿是浑然不觉的,于寿诞的大人则是待客的忙活,搞不清了祝寿是他欢乐还是让他受累。八年了,纷乱的生活留下了整齐的百册杂志,生命是一杯苦涩的酒,每一期杂志都是嚼不尽的下酒菜。

在我的感觉里,女儿在幼时,我每天半夜回家,女儿已经睡了,脱鞋时看见客厅一大堆大人鞋中的那一双小小的皮鞋,心里就充满了温馨和爱怜,而女儿长大了,上学了,女儿带给我的却是养活她的沉重的负担和培养她的重大责任。《美文》创刊在一九九二年九月份,当时的散文创作并没有"热"的局面,相反,倒显得几分冷清,自七十年代末开始逐步繁荣的新时期文学创作,诗歌和小说都得到了广泛而充分的探索与实践,唯独散文领域一片落寞。散文写作成为小说、诗歌的附庸,报刊上的散文栏目仅成了一种文体的点缀,似乎是有一些职业的散文家,但人人都知道他们著名,人人却并不清楚他们到底写了些什么。敢不敢创建一份散文杂志,许多人在质疑和反对着,空白使我们有了机遇,空白的恐惧也像影子一样拖在我们身后。独自的夜行人要大声歌唱着为自己壮胆的,于是创刊的第一期上,我们将"大散文"的字样赫然写在封面上。

我们的本钱是杂志社的骨干人员都是资深的编辑,更都是在当地颇有了声望的作家,提出"大散文"的观念或许在名称上并不完满,但绝对是面对了当时的散文困境,不满了对散文现状的沉沦,企图突围,引导写作,改造读者的一种共识。我们清醒我们不是理论家,也不是要哗众取宠为刊物的生存而恶炒,只是以我们的能力作转化,就像把虫子要变成蝴蝶,把种子要变成大树。可以说,"大散文"并不是一个口号,从此却是我们编刊的指南。

正因为我们人微言轻,是外省人办的外省杂志,一锅水在别人早烧开了,我们却得费多得多的柴火,甚至是黑烟腾腾地冒了半天才膨起焰来。我们的工作首先在于对散文门户的独立,属于小说的还给小说,属于诗歌的还给诗歌,这样的工作不是将散文弄得纯而又纯,恰恰相反,却是要扩大散文的境界,拓展散文的路子。这些问题如果现在看来似乎是自然而然的事,但当时走每一步却十分艰难,且引动了散文界激烈的争论。有人在嘲笑我们:《美文》上的文章就都是大散文吗?我们在做屋基的时候我们是不能说我们做了房子,但房子一旦盖起来,我们可以说屋基就是房子的一部分。我们前前后后开辟了各种专集,比如海外作家的,国内地域性作家的,某一个门类的,某一种题材的,竭力打破所谓专业散文家的圈子,竭力打破所谓文化人的圈子,不管什么人,不管哪一类文体,只要文章写得好,我们都吸纳,使散文不再成为专业散文家的象牙塔和文人的精神后花园,让它更有时代感和生活实感,宁愿粗糙,不要矫饰,敢不迎合,包括政治的世俗的和时髦流行的,一定要激情和鲜活。我们办的是平民杂志,办刊的过程却使我们精神高贵，在如何建设现代汉语基础上的散文写作，如何对散文文体作重新审美，我们有过喜悦和困惑，当其主张和实践逐步得到了写作者和读者的普遍认同与支持，又被许多报刊遥相呼应后，我们方明白一个杂志越是有灵魂越是能独立，越是有独立性越有援助的道理。随着散文界形势的变化，综观着周围那些大的刊物的成功，紧盯着国内散文创作的发展，难题不断地摆在我们面前，我们针对着高不可攀的姿态与俗不可耐的心态，在坚持"大散文"的办刊宗旨下，相继强调散文的清正之气，强调行动着的散文，强调着散文语言的清洁和重视提高散文单篇质量的意义，并较大面积地做九十年代散文写作的调查。我们承认我们是迟钝的，但我们独立思考过，我们的能力的确有限，但志向不乏豪华而且在努力工作着。

当看着别人的孩子的时候，总觉得这孩子怎么这般大了，简直是见风是长，但孩子的父母却感觉不来孩子长大。八年了，抚着一百册《美文》，我们猛然醒悟到我们的生命转化成了这样一种形式，不禁百感交集！在百期将至时，许多作家和读者建议我们编辑出版这样一本书出来，我们想了想，也觉得编编也好，这如同照相留念，那就存一张照片吧。我作为《美文》办刊参与人之一写这个序，自己说自己的好话，脸虽红着，但也是我们给我们鼓劲，因为老王还要卖瓜，《美文》还要办下去。更有一点，社会越来越要求报纸和杂志的商品化的今天，我们毕竟还固执认为报刊毕竟还要有文化建设的责任，而且现代汉语散文还未真正的繁荣。

2000年8月25日西安

我 不 知 道

——关于"文人画"的一点看法

我虽然也画着画,但我不是画家,而且一直站在画坛的外边。我从来没有想过"文人画"是什么,这如同我写小说,总是不理会什么农村小说、城市小说、知青小说等等的含义和区分,我只是写我想写的东西罢了。若说从事一切艺术在起初都是一种兴趣,而到了一定的阶段则就有责任,要研究了,那么,文人画不应该是文人画的画吧,尤其"新文人画"。

其实想想,哪里有"文人画",现在能称得上画家的,谁个不是文人呢?过去讲"文人画"或许在区别那些庙堂的画,如今强调"新文人画",可能是不满了画坛上的千篇一律风。

我参观过许多全国性的美展,我惊叹过那些杰出的作品,我也疑惑过相当多的作品为什么题材类同,构图也类同,是都毕业于美术学院学习过素描,还是他们从小就懂得了笔墨而至老不再读什么书了?照相机的出现使绘画失去了传真这一重大功能,社会的进步又使绘画不再属于宣传品,绘画是什么呢?

在我的体会里,因为我不是画家,自不受任何清规戒律的约束,画里有我的悲欣、我的回忆和追思,我的不可告人的私结。一切物象都出自心源。我的还不能大自在仅在于我的技法的不圆熟。

一些职业画家见了我的画,说:画可以这样画呀?! 一些文学界的朋友见了我的画,说:这是你小说散文的另一种形式么。他们说的我同意又不同意,以我说,我首先在活人而然后才作文作画,在我的所思所想不能用文字表达时我画画,不能用画画表达时我做文章。

有评论家,甚至很大的评论家认为我的画是新文人画,我不知道这是在夸我还是在骂我,我唯一清楚的是我才开始画,画得不好。

2001年12月6日夜

《白夜》再版序

有人问我,在你的长篇小说里,你最惦记的是哪一部?我说:《白夜》。我私心于《白夜》是我在出版了《废都》承受巨大压力下而能心平气和创作的一部作品,它出版后却受到了《废都》阴影的笼罩,未能得到公正的待遇。虽然我是那样地喜欢过它,也曾经发行过四十万册。

书是有命运的。但《白夜》不应该寂寞。

今日重新出版,我很欣慰。回想当年叫它白夜,现在琢磨起来,书名里暗藏了些许玄机:是像白天一样的黑夜呢,还是像黑夜一样的白天?于是,将书稿交给出版社后,我书写了一匾额悬挂在书房,匾额三个字:天再旦。

2001 年 6 月 8 日

《当代名画家精品集·贾平凹》序

如果我活到九十六岁死去,四十八,本命年,去年正好是生命一半的时间。这一年里我极大地享受了作为人的欢乐和烦恼,深深理解了易经上"飞龙在天"接下来便"亢龙有悔"的道理。于是,在冬日里,我将庄子的一段文字让人转给那些以神圣面目而出现的阴谋者,文字是这样的:

惠施相梁,庄子往见之。或谓惠子曰:庄子来,欲代子相。于是惠子恐,搜于国中三日三夜。

庄子闻之,主动往见之,曰:南方有鸟,其名鹓鶵,主知乎?夫鹓鶵发于南海而飞往北海,非梧桐不栖,非竹笋不食,非醴泉不饮。于是鸱得腐鼠,鹓鶵过之,惊而呼之曰:不准你抢我的死老鼠!

将庄子之语转去之后,我便什么也不管,什么也不往心上去了,闭门读书,出行采风,暂不与文坛上的人来往,却拜书画界的人为师写字画画了。

对于书法,我自小是喜欢的,虽一直未临帖习碑,但由于经年从事文学写作,虽使用的钢笔,对汉字的间架结构的趣味深知,又常常读帖,热衷寻碑,每有好字,揣摩不已,自视眼界不俗,动起毛笔也还得心应手。而绘画,实践却晚得多了,更是缺乏基本功力,只是将文字上无法表达的东西任性涂抹,从不敢轻意示人。这个

南山平远图

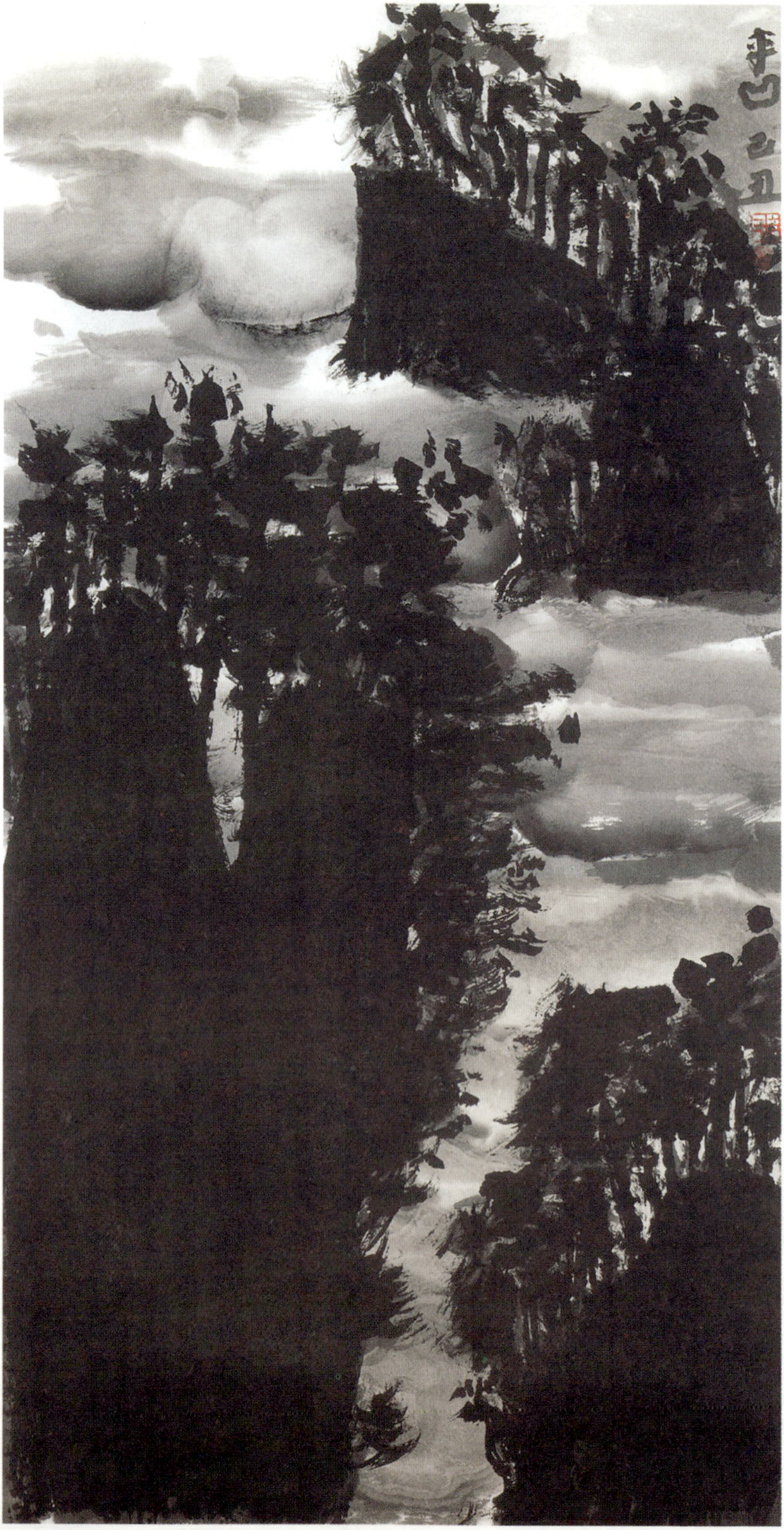
李山
己丑

冬天经了名师指点，兴趣竟如湖水一般涌来，不可遏止，常常通宵达旦，画出的画挂得四壁皆是，吓得家人都以为我脑子出了问题。

这册画集便是从那一大堆的涂抹里挑出来的。

我无志于要做书画家，在我看来，中国的书画巅峰期已过，如果我们是活在古代，像我这号人，甚或比我更高数倍的名家，都不过是一般读书人的基本所能，如果再往后百年，人人都使用了电脑，能完整地写汉字，能用毛笔画一叶兰一瓣梅，那也就会称之为书画家了。现在是中西文化冲撞最活跃的时代，我混身于文坛，长期关注的却是美术界的动向，因为接受和引进西方现代思潮美术界往往比文学界早一步或许两步，我的创作上的相当多的启示不是来自文学概论一类的书上，而得益于美术理论。但我的画不是油画，也不是以水墨来画洋人画，这基于我从小受教于汉民族文化传统，基于我的生存环境和已熟悉的毛笔和宣纸。我画的当然也不是目下市场上随处可见的那种画，我没有那么多的讲究和规矩，我恐怕也永远不会去亲近那些讲究和规矩。写字和画画，是我人在中年里的一种兴趣使然，作想起来，也觉奇怪，或许是生命形态的又一样表现吧。之所以敢将这批作品出版，很大程度上受了一些画界朋友的鼓动，这种鼓动，或许对我是一种陷阱，我却并非有哗众取宠之意。当我也收拾了一间屋子作为画室，支了画案，垒起了一大堆寿山石印章，自己笑自己"土狗扎个狼狗势"，但绝不蓄胡须（世上见多了留长发的音乐家和蓄胡须的画家），也不申请加入美协的。

有一年去杭州，在西泠印社的园子里第一次见到吴昌硕的塑像,有人说我长得像吴昌硕,去年再去杭州,无意中一位杭州的画家送给我一枚吴昌硕曾使用过的印章,这回为编选此集,请一位画家朋友来帮我选选,他仍是拿出几幅吴昌硕的照片和我对照。我说,有什么像呀,都是肿泡眼、矮个子就是像吗?即便一模一样就是吴昌硕啦?都是草木倒对,但吴昌硕是高山上的树,我是山脚下的草。就说说生活吧,吴昌硕娶了个小妾能起名"温雪",我能找到个女相好吗,找着了恐怕也只能是个"糟炭"。

今夜里,关起门了,我却将吴昌硕的那枚印章端放在画案上,恭恭敬敬地为它上香了。

2001 年 4 月 16 日

《高老庄》再版序

每一本书有一本书的命运,这我是深信不疑的。

出版过的那几部长篇,《浮躁》最幸运,它以各种版本已出过十多次了,《白夜》、《土门》也再版过数次,唯有《废都》和《高老庄》不济。《废都》虽未正式再版,却每年都能在市面上见到新的盗版本,且盗版本越来越豪华,它属于没有户口的盲流者到处打工。相比起来,《高老庄》出身尚好,但在太白文艺社初版后,在国内,除长江文艺社搞过一次评注本,它就很寂寞。

我不明白一些出版社约稿时信誓旦旦,但一次性印个大数目后为什么就撒手不管了?他们急功近利,不做长销书的努力,损害作者和读者的利益,也损害了他们的利益。盗版书自然要乘虚而入,而《高老庄》的盗版本惨不忍睹,纸张粗劣,装订混乱,字小得需用放大镜方能看清。

云南人民出版社的"金收获丛书"提出他们再版《高老庄》,令我欣慰,有一种将良家妇女从妓院解救出来的心情。

我曾写过一段祷词的,是在家中焚香供神时用的,我把它抄在这里,也算作对《高老庄》,以及我写过的所有书的命运祈祷:

神啊,当你降临在了大堂,一切安谧祥和就弥漫在空气之中。敬燃了香炷,霭蓝的轻缕袅袅而起,我听见了来自悠远的响动,它悄无声息又惊涛裂岸,我看见了广邈的土地和江河,高阔的天空和星界。是谁在唤我的名字——平凹,平凹——英明伟大的神啊,我原来是你的孩子!我默默地呼吸着,静静地用身与心体会,不断生出的疑惑、烦恼、卑怯、愚昧在消化,滋长的是灵魂的安妥,文学的智慧,生命的健康和欢乐。多么感谢你啊,神,我来源于爱,承受着爱,我将永远爱着你和你创造的这个无所不在的世界。

2002年6月5日

老木的故事

逛街逛到一家卖饺子的饭馆门前,我听到了关于这家饭馆老板的故事。该饺子馆原先是个小门面,几年间生意红火,扩建成三层楼,老板心思就大了,想:如今什么都讲究个文化,咱也在这饺子上搞搞这劳什子。遂拿出二十万元,请人召集国内一批专家学者来研讨饺子。这些专家学者开了七天会,形成的结论是饺子起源于性崇拜,其形状就是模拟女生殖器而演变的。结论汇报给了老板,老板说:我花了二十万就是让你们证明了我是个卖×的?!

说故事的是老木,他还要说下去,一个警察直着眼就走过来。"把你的刀子交出来!"警察说。老木的提包里是装着一把刀子的,刀子很长,刀把露在提包外。刀子便被警察没收了。老木莫名其妙:为什么要收没刀子? 警察说:"带刀子上街有抢劫的嫌疑!"老木就愤怒了:"那我还带着生殖器的,也该怀疑是强奸犯啦?!"

刀子最终没有被收没。我对老木说,今日的故事我也得给别人说呀,饺子有饮食文化,刀子有治安文化,你这文化人也有文化人文化啊。

2000 年 6 月 23 日

《大堂书录》序

一九九八年的腊月,我在石家庄小住了几日,其间拜见了韩羽先生,先生好客,送我一盒座化印馆的华笺。不久回西安过春节,除夕的晚上,看罢电视里的春节联欢晚会,也燃了爆竹,吃了饺子,家里人就都睡去,我还坐在书房里没有困意。从书架上取下那盒华笺,随便要在盒上写上韩羽先生赠送的时间,不想见华笺如见韩羽,便走到了电话机前要给他拨个电话拜拜年。话筒拿起来却又放下,想,小时候晚辈给长辈拜年,起码得提个馍笼子的,如今世情薄了,就拨个电话算拜年了?老先生能将这么好的纸送我,何不写些东西,也不辜负了他的美意,也不亏了这华笺的存在!于是研墨调笔,写了起来。我完全没有料到,笔落在纸上感觉是那么的好,越写越来兴趣,竟写到黎明五点。此后的三日里,白天里去走亲戚,天一黑就在书房里写,直到把全部华笺写完。

我平日都写大字,用纸也极粗糙,在这么好的华笺上写指头蛋大的字还是第一次。年后一帮朋友来家看到了这批字都惊呼不已,说这是我写得最好的书法,便一人数十张要抢去。经大家这么一乍哄,我也觉得我写得好了,就小心起来,送他们烟酒而把华笺收回来,说:这是我专门为我的两个女儿写的,裱出两个手卷了,将来给她们做嫁妆的。

此事被人传来,不断有人来家要看,我先还得意,谁来都摊开一地,赔上烟茶,听他们说好话,后来就烦了,再有人来,婉言拒绝,不想又来了出版社的编辑,提出能否让他们出版。事情弄到这一步,倒使我认真了,重新展开手卷,便觉得很不满意起来,比如,有的部分还认真,有的部分就太随意,一些字有神来之笔,一些字则浮滑丑陋,局部里尚有气韵,整体上节奏凌乱,更令我汗颜的是平日书写因字少还能藏拙,这么两大长卷就暴露了我功力的浅显和稚嫩。我说:这行吗,能拿得出手吗?编辑说:怎么不可呢,你的书法朴茂率真,又有静气,且书的内容又是古诗句格言和《道德经》,出版了,喜欢你的字的就欣赏字,不喜欢你的字了还可欣赏你写的内容啊!

于是,我便又有了两本所谓的书法册了,一本由太白文艺出版社出版了《贾平凹书〈道德经〉》,一本就是由陕西旅游出版社出版的这个《贾平凹书人生格言》了。

2001 年 4 月 16 日夜

走 过 十 年

——在《美文》十周年酒会上的致词

《美文》创办的时候,我们仅指望它能坚持两年,或者三年,没想,却已经过了十个春秋。孔子曾经站在河边说:"逝者如斯",从此有了"流年";十年的岁月流过去了,证明我们存在意义的是这一百多期白纸黑字的《美文》。同志们,把酒举起来,让我们为我们生命的胜利而干杯!

"自然与自然规律在黑夜中隐藏着/上帝说,让牛顿去搞吧!/于是一切都光明了。"这是亚历山大·蒲柏写给牛顿的诗,十年前当中国的散文界还处于沉寂,我们吟诵着这首诗选择了《美文》,《美文》又使我们缘分极深地从四面八方集合在一起,统一了志向。十年里,我们的皮肤已经粗糙,头发已经稀薄而灰白,甚至有人已经退休和死亡,我们是付出了艰辛的劳作,这包括政治责任的压力,费用开支上的考虑,更还有对散文界状况分析研究和对散文发展趋势的估摸把握以及应对来自各方面对我们的主张持善意的和不善意的质疑和指责。我们没有优势可言,居住于中国文学的非中心城市,西安又没有形成产生和尊敬编辑事业的社会传统,我在编辑室的墙上之所以写上两个条幅——一幅是"我来",一幅是"为中国散文的进步而努力工作"——口气是大了点,但全是为了建立信心,自己要给自己鼓劲。我们仅仅是一伙散文写作者和热爱者,当没有《美文》的时候,我们最大的喜悦是自己写出了一篇满意的作品,而我们办起了《美文》,才知道收读了一篇好的来稿其喜悦比我们自己写了满意作品来得更大!我们为外界的许多事情干扰过,愤怒过,委屈过,也在内部因工作吵吵嚷嚷,产生过矛盾,但我们在神圣的文学面前心系了一处。萨特说:人活着就是烦,吃饭烦,不吃也烦。但人一进入科学的境地,心就平静下来,远离尘嚣。我们就是这样的,我们走到了今天。

十年里中国散文在变化中发展,在突围中进步,我们所欣慰的是我们就参与了其中。对于《美文》,要总结的经验和教训很多,别的在这里我不多说,有两条我们需要坚持和光大,也是在这两条上引起我们的危机感。

一条是,我们创刊时基于对当时散文现状的不满而提出了"大散文"概念,这是极力要《美文》独立特行。十年的争论和实践,可以说,我们的坚持是有益的,是对的。但是,当"大散文"概念已经得到了广大读者、作家的认同和赞许,诸多的报刊也采纳了,且所做的工作比我们更全面和扎实的时候,《美文》应该又怎么办?尼采说过,一个民族的义务就是找寻到超人,虽然我们是地方性的小刊物,但我们既然定位于要为中国散文的进步而工作,我们就得清楚中国散文现阶段的不足和弊病,始终寻找它的突破口和制造动力。刊物要有灵魂,《美文》得警惕平庸。"大散文"概念的提出,以及"行动散文"、"激情散文"一系列的鼓呼和举措或许是革命的行为,但还未掀起壮阔的波澜,而十年后的今天,散文界还需要更大的革命。

一条是,如果说《美文》以前还有自己的特色,并不断地有一些针对散文写作的想法,是因为我们编辑几乎都是写散文的,许多办刊的策划来自我们在写散文过程中的困惑和探索。但要看到,我们仅仅是一些普通的散文作家,又随着年龄增大,写作的想象力和对事物的敏感度的减弱,最易于导致保守而出现以自己的脚找鞋子的现象发生。如何保持我们写作的激情和鲜活,如何能站在潮流的前头,如何引进人才和机制改革,这都是对我们的严峻考验。十年的路程是艰难的,十年后的路程可能更艰难。我盼望我们把自己的散文写得更好,把自己的散文写好了才能把《美文》办得不同于别的刊物,把《美文》办好了,也才能水涨船高地写好我们自己的散文。

有一个科学家在回答为什么数学对物理有重要影响的提问时,他说了一句:因为上帝是个数学家。已经有好多次了,一些人建议趁着《美文》的良好声誉应该扩而大之办一份畅销的综合刊物,但我拒绝了,宁愿困难,宁愿清贫,还是要办散文的《美文》,因为上帝更是个散文家啊!为中国散文的繁荣而努力工作,是神的圣旨,也是我们这些人的责任和宿命。

语言的"筋"
——一次座谈会的发言

这个"筋"不是骨筋的筋,陕西人说的是对面条的一种感觉。如何将这种感觉表现在文学语言里,我请教过一位二胡演奏大师,他说了力的爆发和控制。我也专门煽动了一个急性的结巴和一个慢性的结巴的一场吵架,研究他们各自的换气。语言的好当然需要有场面感,选用独到的动词,但也重要的是节奏。人的说话的节奏,正常的情况下,决定于肺活量,文学语言的节奏也同样是由所述写的人与事的情绪来左右。现在大量的翻译作品出版,提供了我们向西方大师学习的机会,但效仿未能看到西方作品后的文化背景,只在文字的表面上看,于是出现极长的句子和极短的句子,长的能把读的人憋死,短的则让读者患哮喘病。话有三说,巧说为妙,文学语言就是一种搭配,作家的风格、作品的风格其实就是一种搭配。研读许多经典,发现了他们共同的秘密是会说闲话,闲话说得好,味就出来了。那位二胡演奏大师告诉我,他从三岁起就练二胡了,七八岁弓子和弦就不是单独的弓子和弦了,是从他身上长出来的,是身体的一部分。这话使我从此难忘。

《平凹散文》序

二十世纪最后的几天,我在一家医院打点滴,住三一五病室,有朋友来探视,说:你住"三一五"呀,"三一五"是打假日。我笑了,真是打着贾了!我这个姓不好,是贾不是假,却始终被假东西困扰着。我的书几乎全被盗版过,仅我收集到的各种假版本就装了一书架,先见到过的盗版书还是按原书模样做的,再见到有随意改变了版形的,或大或小还有精装的,发展到后来,就见到人家自己编选印刷,甚至冒名顶替。我使相当多人成了几十万元户。曾经有个人开着小车,领着他的女秘书来感谢我,我莫名其妙,他才说他现在是一家公司经理,八年前盗过我的书积累了资本才洗手不干从事了别的生意。我哭笑不得,我还能对他说什么呢?现在我的书仍不断地被盗版,连字画也赝品很多,有一天去西安的古文化街和古玩城,在五家店铺里发现了字画赝品,气得当场撕下那些假货,可人刚走,听说另一批赝品又挂上了。朋友们劝我,罢了罢了,北京的潘家园古玩市场上随处可见到启功的书法赝品,启功从不打假,甚至还说过作假的比他还写得好的话,那些赝品摊上就同时挂一个镜框,里边复印了启功说那段话的一份报纸文章。启功先生是大文化人,我是不可比的,而且他年事已高,衣食无忧,钱对他已没了多少作用,我却上有老下有小正是花钱的时候啊!于是就向有关部门反映过,也参与了几次去书店抄假书的行动,可结果都是不了了之,才作想启功先生如果说那话,也是无奈之言,我也便说了一句:权当我在养活人哩,皇帝养活一国的人,我才养活了几个呢?受过了不法书商的种种亏,我一向不敢轻易与这些人打交道,只信着出版社,却哪里知道,出版社也是有坑人的,他们之中有人与不法书商勾结,出了事自己说一句"我们也是受害者"一推而已,背地里数那昧心钱。有的出版社自己盗自己版,印了一次又一次,版权页的印数永远不变。当今的社会,假风盛行,城里人抱怨乡下人出售的猪鸡吃了激素,瓜果注了色素,乡下人指责城里人卖给他们的劣质种子、失效化肥,吵吵嚷嚷要地方政府来管,怎么管,官在贪着,吏也污了,甚至有些官吏原本就是以钱买来的。有一句流行话:除了娘是真的外,什么也难保是真的。话是狠毒了些,却也说得过瘾。

终于有了个"三一五"打假日,但"三一五"的打假打的多是日常生活用品方面的假,知识产权的打假,也只注重那些音像制品,打击盗版书的事却总是政策模糊,措施不力,越打击越泛滥,那些巨盗们正如大的嫖客在扫黄期间嫖得更安全一样,盗版盗得大赚其财。可怜的作家们和正经的出版人士还四处奔波参加各种版权会议,出决议,发声明,在一次会议上,有人就说起了一个真实的笑话:一家专卖饺子的饭店,生意不错,也想建设什么饺子文化,出资了几十万元召开了国内一些民俗专家研讨饺子的起源。这些专家研讨来研讨去,认定饺子的起源在于性崇拜,饺子本身就是女性生殖器的象征。结论出来,饭店老板就躁了,说:我花了几十万元来论证,原来我成了个卖×的?!

　　说了这么多关于盗版的事,似乎有些不像是序了,但正因为市面上盗版的多,出版社和我受害,也害了读者,出版社唯一能做到的是以正版书极快地覆盖市场,一旦发现市面上没了正版书,就想方设法来补充。这就是他们常来找我编些集子的理由。但是,交叉编选,读者便也有了意见,也有深感腻歪,这些年里拒绝了许多出版社,也得罪了许多熟人和生人,曾声明再不编选了。可有的出版社自己就找人编选,编选好了让我来同意,遇到这种情况,我就不忍心了编选人付出的劳动,好说歹说之下便签字了。这一回,浙江文艺出版社又要选编一本,推辞了许久未能推辞掉,因为牵涉方方面面一些我尊重的朋友。推辞不掉就愉快合作,好的是浙江文艺出版社以前出版过我的一本小说集,其作风严正,而由李星先生编选,他又是国内著名的文学评论家。编选的目录我看过了,李星先生颇有他的想法和角度,我企望这本选集能得到读者的认可和喜欢。

2000 年 1 月 22 日

在《贾平凹前传》研讨会上发言

原本在这个会上我是不发言的,因为我若说写得好,别人便说:写的是你就好?我若说写得不好,别人就又要说:费多大的劲写了你,你连一句好话都没有?但我现在决定要说说话。

一、我祝贺孙见喜先生的这部著作出版。作为他书中的传主,我感谢他,佩服他,向他致以兄弟、朋友、同志、读者的敬礼。

二、孙见喜是一个有着独立精神的人,一个有着高品位审美层次的文人。他善良又充满趣味,生活道路曲折而坚韧不拔。是有着丰富想象力和给文字赋予活力的作家,又是思维开放、知识面广博,有着非常理性的批评家。

他几十年来关注我,追踪我,研究我,这是我们的缘分,也是时代的撮合。新时期文学从开始到今天,我们为了对文学的追求一同走了过来。我的创作道路曲曲折折,坎坎坷坷,毁毁誉誉,而他写我,也同样的曲曲折折,坎坎坷坷,毁毁誉誉。但我们走过来了。回首往事,感慨万千。他来写我,对我来说是幸运,对他来说是冒险。这其中,我并不是完全与他能配合的,可他瞄准了目标一如既往,使我感动。我只给他说过一句话:你要写我你就写吧,我别的不给你允诺,但我要尽最大的努力好好写作,力争使你的研究不至于变成一堆废纸。正是在这种信念下,我创作的步子没敢停下来,我的创作有这样那样的缺点和不足,但我竭力去突破,去变化,往前要走。

三、孙见喜是一个做事十分认真严肃的人,他的这部书分别以短文发表时,我差不多都看过。大的事件,凡是他写到的,都是他曾经参与过。小的描写,又全是他平日的观察积累。他是有独立的人格和见解,又有着以自己创作所得的体会来分析我理解我而准确表达的职业道德和职业水平。

四、孙见喜与我是同年代的人,同乡,同样搞文学创作,他又是陕西作家中最关注理论、最能关注国内外一切文学动态的,这是他写这部书的极有利的条件。我是一个还很普通的作家,他写我并不是要拔高我,无原则地吹嘘我,尤其写到一定程度后,他的这种意识越来越明确,就是重笔写新时期文学的大背景、大脉络,而大背景大脉络下的我已不完全是我,却是以我来折射这一文学时期的社会状态、文学状态。这部书,可以说是中国新时期文学过程的大记录。

五、每一部作品之所以有价值,在于有它的事实和看法,没有事实的看法是无用的,没有看法的事实也无用。此书在这两个方面的内容都有,这也决定了它的长处和特点。

六、如果说不足,因许多现实问题、人际关系问题、政治问题,没有写到一些大事,或写到了没有写出更隐秘、更内心的精神上的痛苦和烦恼,那种一直让我充满紧张感的东西未能写充分。这其中有孙见喜的认识和无奈,也是我在一些问题上不愿配合所造成的。

東坡圖

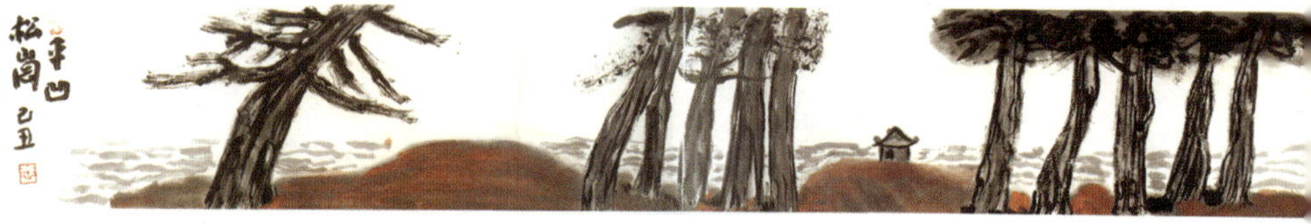
平山
松崗 己丑

以上几点，正是我敬重孙见喜的基本原因。在我几十年的文学生涯里，每一个时期我都有着朋友和熟人的圈子，有些朋友一以贯之，并且愈来愈成了诤友，有的则随着岁月渐渐疏远或分手。孙见喜与我交往时间最长，争吵最多，友谊也最深。我们虽都不是宗教徒，但在文学的交流和辩论中有宗教的味道。

在这次会议之前，也就是说在昨天以前的几十年里，我从来对孙见喜没说过一句恭维话。我以为我们不需要这些，见面都是作品上的讨论和生活中的调侃、作践甚或指责和埋怨。而在今天的会上，我觉得这不是我与他个人的事，我才这么说了他几句好话。这些好话，在人性上和文学面前我是坦然的，真挚的。

我们现在都渐渐老将起来，前几日我还对他说，我现在夜里开始失眠，而且突然喜欢起了钱，可能是我老了。是老了，那么厚厚的三册书摆在这里，抛开传主我的身份，已经证明着他的文学的存在和价值，我衷心希望孙见喜先生文学精神不衰，身体康健，生活顺畅，心情欢乐。

2002年2月6日上午

对当今散文的一些看法
——在北京大学的演讲

我这是第一次来北大说话,却是第二次来到北大。北大是我很向往的地方,但我没有好运气能在北大上学。十多年前的一个晚上,我来过北大,是来见我的一个老乡的,他那时正读研究生,半夜里,我绕着未名湖转了一圈,回去写了一个短文,其中有这么一句:一个未名人游了一次未名湖。这次主持人要我来,我当然十分高兴,但我着实很惶恐,一是我不知道我该讲些什么,在中国文坛上,我是极普通的一位作家,肚里没有话要说。二是我口才很糟糕,又说不了普通话,当年我从西北大学毕业时,学校先要让我留下来任教,而系主任最后否定了,就是说我说话不行,当不了老师的。所以,我一再推托说不来了。主持人坚决不行,说,你随便说吧,说什么都行。我拗不过他,只好来了,但随便说是最不好的,即兴说话我一句也说不出,便列了个大概提纲。我在我们单位,也就是西安市文联,五十多个人,我当的是主席,开会我也要有个提纲的,没提纲,我就前言不搭后语,自己把自己都说糊涂了。

我现在开始按我的提纲说。

在中国,散文是最有群众基础的文学形式,读者多,作者多,似乎任何人都可以来谈谈自己的感想。我不知道前边的几位我所敬重的散文作家和散文研究家都谈了些什么,我惶恐关于散文的那些道理,差不多的人都知道。轮到我还有什么新鲜的东西提出来呢?世上的事往往是看似简单的却是最复杂的,一个人的能力如何,就是看是否能将最复杂的事处理成了最简单的事。越是难以治愈的病,越是在这号病域里产生名医,比如有著名的治癌专家,治乙肝专家,但绝对没有一个是治感冒的杏林圣手。所以,大家不要指望我能谈出些什么可以让你们记录的东西,在这个晚上,我只以一个普通写作者的身份,说说我的一些体会来浪费你们的时间。

我讲九个问题。

一、关于改变思维,建立新的散文观

其实,建立新的散文观,并不仅仅是散文,而是整个的文学观念。为什么我首先讲这个问题,如果初学写作者觉得这是无所谓的了,但你真正地从事了写作,文学观则起到决定性的作用。我主办着一份散文杂志,叫《美文》,在一九九九年的一年里,专门在封二封三开辟了一年的专栏,刊登一些作家对散文的认识,也就是想了解大部分作家的散文观。从专栏的情况看,有一部分人写得相当好,也有更多的人仍糊里糊涂。我是指导着两个硕士研究生,在入校的头一个学期,我反复强调的也就是扭转旧的思维,先建立自己的文学观,起码要有建立自己文学观的意识,提供的书目中,除了国外的大量书籍外,向他们推荐读两个人的随笔,一个是马原,一个是谢有顺,这两个人的见解是新鲜的,但又不是很偏激。回顾现当代文学,可以看出中国文学是怎样在政治的影响下成为宣传品,而新时期文学以来又如何一步步从宣传品中获得自己属性的过程。对现在的散文产生重大影响的是五四时期散文,和五六十年代的散文。从新时期散文发展的状况看,先是政治概念性的写作,再是批判回忆性的写作,然后才慢慢地多元起来。但可以用这样的一句话说,散文在新时期文学中是相对保守的传统的领域,它发动的革命在整个文学界是最弱也是最晚的。中国的文学艺术,接受外来思潮而引发变革最早的应是美术界,然后是音乐,是诗歌是小说,然后才轮到散文。散文几乎是到了上个世纪九十年代以后才有了起色。随着整个文坛的水平的提升,散文界必然有一批人起来要革命,具体表现为开展了多种多样的争论。比如:散文是不是小说的附庸;散文是一切文学形式里最基本的东西,还是独立的;是专门的散文家能写好散文还是从事别的艺术门类的专家将散文写得更好;它应该是纪实性的还是虚构性的;它是大而化之的还是需要清理门户,纯粹为所谓的艺术抒情型;是将它更加书斋化还是还原到生活中去,等等。正是这些争论,散文开始了自身的解放,许多杂志应运而生,几乎所有的报纸副刊都成了散文专版,进而也就有了咱们北大的这个论坛。

但是,我仍在固执地认为,散文虽目前很热,取得了很大成就,但它革命的实质并不大,从主管文艺的领导,到出版界,作家、读者旧有的对散文的认识并未得到彻底改变,许多旧观念的东西在新形势下以另一种面目出现,如政治概念性的散文少了,哲理概念性的散文却多了,假大空的作品少了,写现实的却没有现实主义的精神,纯艺术抒情性的作品又泛滥成一堆小感觉,所谓的诗意改成了一种做作。我觉得,散文界必须要有现代意识,它应该向诗歌界、小说界学习。比如小说界对史诗的看法,对典型环境中的典型人物的看法,对现实主义的看法,对中学为体西学为用的看法,对诗意的看法,对意味形式的看法,等等等等。散文当然和小说是有区别的,但小说界的许多经验应当汲取。所以,我认为在目前的状况下,一个最简便的办法是让别的文学艺术门类的人进入散文写作,我在《美文》的一个约稿的重要措施就是少约专门从事散文的人来写散文,而是尽一切力量邀别的行当里的人让他们为我们写稿。

现在有一个很流行的词叫与时俱进,如果套用这个词,散文质量提升的空间还非常大,一方面要继承传统的东西,一方面要改变传统的思维,改革它的坐标应该是全球性的,而不仅是和明清散文比,和三十年代、四十年代比,更不能和六十年代、七十年代比。

散文界有这样一种现象,我们常常都知道某某是著名的散文家,但我们却不知道他到底写了些什么作品。小说界,一部小说或许就使我们记住了这个作家,但一篇散文或一本散文集让我们记住的作家是非常非常的少。

我虽然在强调散文的现代意识,什么是现代意识?现代意识如果用一句话讲可以说是人类意识,也就是说我们要关怀的是大部分人类都在想什么,都在干什么?散文绝不应该是无足轻重的,它的任务也绝不是明确什么,它同别的文学艺术一样,是在展示多种可能,它不在乎你写到了多少,而在于你在读者心灵中唤醒了多少。作家的职业是与社会有摩擦的,因为它有前瞻性,它的任务不是去顶礼膜拜什么,不是歌颂什么,而是去追求去怀疑,它可能批判,但这种批判是建立在对世界对人生意义怀疑的立场上,而不是明确着什么为单纯的功利去批判,所以,作家与社会的关系永远是紧张的,这种紧张越强烈愈能出现好作品,不能以为这种紧张是持不同意见,而作家若这样以为又去这样做,那不是优秀的作家。

二、关于向西方学什么

这个问题要涉及的方面很多,但我从散文的角度上只说一个问题。

如果综观中国的散文史,它的兴衰沉浮有一个规律,就是一旦失去时代社会的实感,缺乏真情,它就衰落了。一旦衰落,必然就有人要站出来,以自己的创作和理论改变时风,这便是散文大家的产生。散文大家都是开一代风气的人物。历史上的散文八大家莫不是如此。但是,我要说的是,现在散文要变革,如果它的变革和历史上的变革一样的话,仅仅是去浮华求真情,那还不够。小说界的情况可以拿来借鉴,如果现在的小说是纯政治化的,那肯定不行。读者不买账,甚至连发表也难发表了。而现在能发表的,肯定能受到社会欢迎的小说就是写人生,写命运。这类小说很普遍,到处都能读到这类小说。但是,小说写到这一层面,严格讲它还不是最高层面,还应该写到性灵的层面,即写到人的自身、人性、生命和灵魂。在这一点上,散文界是做得不够的。我们谈到的作品更多的,也觉得目前较优秀的散文,差不多都是写到对历史对人生命运的反思。这无可厚非,这可能与中国散文传统审美标准有关,如一直推崇屈原、司马迁、杜甫。这一类作家和作品构成主流文学。但现在这一类作品想象力不够,不如古人写得恣意和瑰丽。与主流文学伴随而行的另一种可以称之为闲适文学,它阐述人生的感悟,抒发心臆,如苏轼、陶渊明,以及明清大量的散文作家。但这一路数的作品,到了现在,所抒发的感情就显得琐碎。文学是不以先后论大小的,绝不是后来的文学就比先前的文学成绩大,反而多是越来越退化,两种路数的创作都走向衰微。而外国呢,当然也有这两种形态,但主要特点是人家在分析人性,他们的哲学决定了他们科技、医学、饮食等等多方面的思维和方法,故其对于人性中的丑恶,如贪婪、狠毒、嫉妒、吝啬、猥琐、卑怯等等无不进行批判,由此产生许多杰作。所以,现在提出向西方学习,是为了扩大我们的思路,使我们作品的格局不至于越来越小。我这样讲并不是说我们传统的东西不好,或者我们的哲学不好,关键是对于我们的哲学有多少人又能把握它的根本精神呢？这个时代是琐碎的时代,而我们古老的哲学最讲究的是整体,是浑然,是混沌,但我们现在把什么都越分越细呀！中国有个故事,是说混沌的,说混沌是没有五官的,有人要为它凿七窍,七窍是凿成了,混沌也就死了。所以说,与其我们的散文越写越单薄,越类型化,不妨研究借鉴西方的一些东西。

　　说到这儿,我要说明的一点是,作家与现实要有距离,要有坐标系寻到自己的方位。任何文学艺术靠迎合是无法生存的。但正是为了这一点,从另一个角度讲,文学是摆脱不了政治的,不是要摆脱,反而需要政治。这种政治不是狭隘的政治,而是广义的政治。这如同我们都讲究营养,要多吃水果、蔬菜,但必须得保证主食。我说这种话的意思是,我们要明白我们是怎样的一个民族？中华民族是苦难的民族,又加上儒家文化的影响,造就了强烈的政治情结。所以,关注国家民族,忧患意识是中国任何作家无法摆脱的,这也是中国作家的特色。如何在这一背景下、这一基调下按文学规律进行创作,应该以此标尺衡量每一个作家和每一件作品。而新的文学是什么,我以为应是有民族的背景,换一句话说就是政治背景,但它已不是政治性的。如果只是纯粹的历史感、社会感、人生感成为中国人所强调的所谓"深刻",那可能将限制新的文学的进步。我的话不知说明白了没有。

三、关于寻找什么样的一种语感

在强调向西方文学学习中,我喜欢用一个词,就是境界。向他们的思想内容看齐,向他们的价值观看齐,这样的话,我不说,我说的是境界,境界是对作品而言的。这一点,必须得借鉴和学习,但对于形式,我主张得有民族性的。一切形式都是为内容服务的,中国八十年代小说界有了"意味的形式",这是文学新思维改变的开始。当时的目的是为了冲击当代文学注重政治、注重题材、注重故事的那一套写法的。从那时起,使中国的作家明白,原来小说还可以这样写?!的确也写出了许多出色的作家。但是,再有意味的形式是替代不了内容的,或者说不能完全替代内容。这个时代由不注意设计和包装变成了太注重设计和包装,日久人会厌烦的。机器面到底不如手工面。既要明白要有"有意味的形式",形式又要具有民族性,这是我的主张。换一句话说,要写中国的文章。我在我四十岁时写过一篇东西,其中反对过一个提法,即"越是民族的越是世界的",我的观点是:民族的东西若缺乏世界性,它永远走不向世界。我举了例子,我们坐飞机,飞到云层之上是一片阳光,而阳光之下的云层却是这儿下冰雹那儿下雨,多个民族的文化犹如这些不同的云层,都可以穿过云层到达阳光层面。我们民族的这块云在下雨,美国民族的那块云在下冰雹,我们可以穿过我们的云到阳光层面,不必从美国的那块云穿过去到达阳光层面。云是多个民族文化不同而形成的。古今中外的任何宗教、哲学、艺术在最高层面是相同和一致的。我们学习西方,最主要的是要达到阳光层面,而穿不过云层一切都是白搭。

四、关于继承民族传统的问题

这样的话许多人都在讲,尤其是我们的领导。但是,我们到底要继承民族的什么东西?现在,我们能看到都是在继承一些明清的东西。而明清是中华民族最衰败的时期,汉唐以前才是民族最强盛期,但汉唐的东西我们提得很少,表现出来的更少。现在我们普遍将民族最强盛期的那种精神丢失了。我常常想这样一个问题,比如北方和南方的文学,北方厚重,产生过《史记》,但北方人的东西又常常呆板,升腾不起来。南方的文学充满灵性,南方却也产生了《红楼梦》,又在明清期。关键在能不能做大。国人对上海人总认为小气,但上海这个城市却充满了大气。什么是大气,怎么样能把事情做大,就是认真做好小事才能大气起来。我在大学读书的时候,曾经特别喜欢废名的作品,几乎读过他所有的书,后来偶尔读到了沈从文,我又不满了废名而喜欢上了沈从文,虽然沈从文是学习废名的,但我觉得废名作品的气是内敛的,沈从文作品的气是向外喷发的。我是不满意当今的书法界,觉得缺乏一种雄浑强悍之气,而大量地散淡慵懒、休闲之气充满书坛。我也想,这是不是时代所致?当一个时代强盛,充满了霸气,它会影响到社会各个方面,如我们现在看汉代的石雕陶罐,是那么质朴、浑厚、大气,那都是当时的一般的作品,他们在那个时代随便雕个石头,捏个瓦罐都带着他们的气质,而清朝就只有产生那些鼻烟壶呀、蛐蛐罐、景泰蓝呀什么的。所谓的时代精神,不是当时能看出来的,过后才能评价。人吃饱了饭所透出来的神气和饿着肚子所透出来的神气那是不一样的。

五、关于大散文和清理门户

"大散文"这个概念是我们《美文》杂志提出来的。我们在杂志上明目张胆地写着大散文月刊。这三个字一提出,当然引起了争论,有人就说:什么是大散文?哪一篇散文算是大散文?我在创刊词中曾明确说了我们的观点。提出这个观点它是有背景的,1992年我们办了这份杂志时,散文界是沉寂的,充斥在文坛上的散文一部分是老人们的回忆文章,一部分是那些很琐碎很甜腻很矫揉造作的文章,我们的想法是一方面要鼓呼散文的内涵要有时代性,要有生活实感,境界要大,另一方面鼓呼拓开散文题材的路子。口号的提出主要得看他的提出的原因和内核,而不在口号本身的严密性。这如同当时为什么杂志叫《美文》,是实在寻不到一个更好的名字,又要让人一看就知道是散文杂志。任何名字都意义不大,而在于它的实质。你就是叫大平,你依然不能当国家主席,邓小平叫小平,他却改变了中国。我们杂志坚持我们的宗旨,所以十多年来,我们拒绝那些政治概念性的作品,拒绝那些小感觉小感情的作品,而尽量约一些从事别的艺术门类的人的文章,大量地发了小说家、诗人、学者所写的散文,而且将一些有内容又写得好的信件、日记、序跋、导演阐述、碑文、诊断书、鉴定书、演讲稿等等,甚至笔记、留言也发表。没有发表过散文诗和议论缺斤短两一类的杂文。在争论中,有一种观点,叫"清理门户",这是针对我们大而化之的散文观的。提出"清理门户"观点的是一位学者,也是研究散文的专家,是我所敬重的人,也是我的朋友,他的观点是要坚持散文的艺术抒情性。我们不是不要散文的艺术抒情性,我们担心的是当前散文路子越走越窄,散文写作境界越来越小,如果仍在坚持散文的艺术抒情性,可能导致散文更加沦为浮华而柔靡的地步。要改变当时的散文状况,必须矫枉过正。现在看来,我们的"大散文"观念得到社会普遍认同和肯定,国内许多杂志也都开办了"大散文专栏",而《美文》也产生了较为满意的影响。

六、关于"有意思的散文"

"大散文"讲究的是散文的境界和题材的拓宽,它并不是提倡散文要写大题材,要大篇幅。我们强调题材的拓宽,就是什么都可以进入散文写作,当然少不了那些闲适的小品。闲适性的文章在某种程度上来讲,似乎是散文这种文学形式所独有的,历史上就产生过相当多的优秀作品,尤其在明清和三十年代。但这类文章一定得有真情,又一定得有趣味。我们经常说某篇文章"有意思",这"意思"无法说出,它是一种感觉,混杂了多种觉,比如嗅觉、触觉、听觉、视觉。由觉而悟,使我们或者得到一种启示或者得到愉悦。这一类散文,它多是多义性的,主题的模糊,读者可以从多个角度能进入的。这类散文,最讲究的是真情和趣味。没有真情,它就彻底失败了,而真情才能产生真正的诗意。这里我谈一个文学艺术作品秘结的问题。这是我在阅读别人作品和自己写作中的一个体会。任何作品都有他产生作品的秘结。有的是在回忆,有的是在追思,有的是在怀念。比如,我们读李商隐的诗,"春蚕到死丝方尽,蜡炬成灰泪始干",我们都觉得好,我们之所以觉得好是它勾起了我们曾经也有过的感情,但这些诗李商隐绝对是有所指的,他有他的秘密,只是这秘密谁也不知道。历史上许多伟大文学艺术作品被人揭开了秘结,而更多的则永远没人知道。这就说明,文学艺术作品绝对要有真情,有真情才产生诗意。现在有些散文似乎蛮有诗意,但那不是真正的诗意。如有些诗一样,有些诗每一句似乎都有诗意,但通篇读完后,味似嚼蜡,它是先有一两个好句子然后衍变成诗的,而有些诗每一句都平白如话,但整体却留给了我们东西,这才真正称作诗。我是害怕那些表面诗意的浮华的散文。现在人写东西,多是为写东西而写东西,为发表而发表,这是我们现在作品多而好作品少的一个原因。试想想,你有多少诗意,有多少情要发?我以前读《古文观止》,对上边的抒情散文如痴如醉,然后我专门将其中的一些作者的文集寻来阅读,结果我发现那些作者一生并没有写过多少抒情散文,也就是那三五篇,而他几十万的文集中大量的诗词、论文、序跋,或者关于天文地理方面的文章。我才明白,他们并不是纯写抒情散文的,也不是纯写我们现在认为的那种散文的,他们在做别的学问的过程中偶尔为之,倒写成了传世的散文之作。现在的情况也是这样,一些并不专门以写散文为职业的人写出的散文特别好,我读到杨振宁的散文,他写得好。季羡林先生散文写得好,就说余秋雨先生,他也不是写散文为职业的。说到趣味,散文要写得有趣味,当然有形式方面的、语言方面的、节奏方面的许多原因,但还有一点,这些人会说闲话。我称之为闲话,是他们在写作时常常把一件事说得清楚之后又说些对主题可有可无的话,但是,这些话恰恰增加了文章的趣味。天才的作家都是这样,有灵性才情的作家都是这样。如果用心去读沈从文、张爱玲、林语堂他们的散文,你就能发现到处都是。

七、关于事实和看法

我们已经厌烦那种政治概念性的散文,现在这类作品很少了。但现在哲理概念性的散文又很多。政治概念性和哲理概念性在思维上是一致的。有许多散文单薄和类型化,都牵涉一个问题,即对事实的看法,也就是说事实和看法的关系。到底是事实重要,还是看法重要?应该说,两方都重要。事实是要求我们写出生活实感,写出生活的原生态,这一点不管是小说还是散文都是最重要也是最基本的,那些政治概念性和哲理概念性的作品就是缺少这些具体的事实,所以才不感人。但有了事实,你没有看法,或不透露看法,那事实则没有意义,是有肉无骨,撑不起来,但是,有一种说法,事实是永远不过时的,看法则随着时间发生问题。这种现象确实存在,比如"文革"前一些农村题材的作品,人物写得都丰满,故事也很好,但作品的看法都是以阶级分析法来处理的,现在读起来觉得好笑。这就要求,你的看法是什么样的看法,你得站在关注人、关注生命的角度上提出你的看法,看法就不会过时。好的散文,必须是事实和看法都有,又融合得好。

八、散文的杂文化

阅读三四十年代一些散文大家的作品,和阅读一些翻译过来的外国的散文,我有这样一个感觉,即那些大散文家在写到一定程度后,他们的散文都呈现出一种杂文化的现象。当然,我指的杂文并不是现在我们所流行的那种杂文,现在的杂文多是从古书里寻一些典故,或从现实生活中寻一些材料,然后说出自己的某种观点,我指的是那种似乎没有开头结尾没有起承转合没有了风景没有了表面诗意没有了一切做文章的技巧的那一种写法,他们似乎一会儿天一会儿地,一会儿东一会儿西。这种散文看似胡乱说来,但骨子里尽有道数。我觉得这才算好散文。我可以举我一个例子,我写过很多散文,有的读者来信,说他喜欢我早期的散文,但我自己却喜欢我后来的散文,我这里举我的例子并不是说我的散文就好,绝不是这个意思。我是说为什么有人认为我早期散文好,而我自己又为什么觉得后来的好,我想了想,早期的散文是清新、优美,但那时注重文章的做法,而那些做法又是我通过学习别人的做法而形成的,里边可能有很漂亮的景物描写,但内涵是缺乏的,其中的一些看法也都是别人已经有过的看法,这是我后来不满意的。后来的散文,我的看法都是我在人生中的一些觉悟,所以我看重这些。我们常说智慧,智慧不是聪明,智慧是你人生阅历多了,能从生活里的一些小事上觉悟出一些道理来。这些体会虽小,慢慢积累,你就能透彻人生,贯通世事。而将这些觉悟大量地写到作品中去,作品的质感就有了,必然就深刻,一旦得意就可以忘形,不管它什么技巧不技巧了。这就像小和尚才每日敲木鱼做功课,大和尚则是修出来的。也就是巴金说的,最大的技巧就是没技巧。也就是为什么"老僧说家常话"。

九、关于书斋和激情

新时期的散文从九十年代热起来以后,应该说这十多年是比较繁荣的。发展到眼下,散文界正缺少着什么?最主要的我觉得是激情。因为缺乏了激情,读者在作品中不能感受时代和生活的气息,不满意了虚构的写法,因此才有了"行动散文"的提法。作家在社会中成了一种职业,写作可能是一些人生命的另一种状态,但也有一些人将写作作为生存的一种形式。即便是视文学为神圣的作家,也严重存在着一种书斋化,就是长期坐在房间里,慢慢失去了写作的激情。我常常产生一种恐惧,怀疑今生到世上是来干什么的,长期的书斋生活,到底是写作第一还是活人第一?如果总觉得自己是写作人,哪里还有什么可写呢,但作为写作人又怎能不去写作呢?这是很可怕的。这样下去,江郎怎能不才尽呢?我想,像我这样的情况,许多作家都面临着。这恐怕也正是我们的散文写不好的原因吧。要保持生命的活力,以激情来写作,使作品的真气淋淋,得对生活充满热情,得首先过平常人的日子,得不断提醒自己的是那一句老话:深入生活。这样,我们的感觉才能敏锐,作品才能有浑然之气,鲜活之气,清正之气。

现在,我讲完了九个问题。这九个问题只是自己的所思所想,我不是理论家,这些问题我只是感觉到重要却无法把它说得清,而长长短短地含糊不清地说了一遍,希望大家批评指正。

我再一次向大家致谢,致谢大家来听我的说话。我也向大家致歉,我浪费了你们这么一个晚上的时间。

2002年5月24日

关于小说语言
——在苏州大学的演讲

在现实生活中,我们喜欢和有趣味的人在一起,有趣味的人就是会说话的人。这里所说的"会说话"不是那种见人说人话见鬼说鬼话的溜须拍马者,而是他说话幽默,有形象,有细节。我们有许多朋友,人绝对是好人,但他没趣,我们是无法和他在一起待很长时间。小说,顾名思义,小的说话,一段说话,那么,你这个作家是怎么个说法呢?传统的小说观念里,一切说法都是手段而不是目的,描绘、表达人与事的,实际上,它不仅在描绘表达人与事的,说法的本身就是一种目的。这便是现代小说的观念。

我们今天来探讨一下文学语言,当然主要指小说语言。常用的语言里可以分叙述语言和对话。

先说叙述语言。

中国的汉语是世界上最丰富的语言。汉字的创造体现了东方人的思维和感觉以及独特的审美观。整体的、形象的、混沌的一种意象。汉语的创造可以看出中国人对世界的认知和把握。这一点,从《易经》的方法最能领会,也能从水墨画、茶、棋、中药、武术、气功等等方面领会。常用的汉字大约四千多个,相互搭配着就成了我们的语言。搭配的过程其实是在把握一种节奏。这同音乐一样。在我看来,一切歌曲都是把说话放慢拉长。而节奏是什么?

觀蟻

画之於大坐以励其拊也子遂的日譯经城南在西戈壬午冬想起玄奘静寂的大雁塔

是情绪的表现。也可以说,为了表现一种情绪来调整节奏。节奏与作家的气息的高低快慢急缓断续有关。这就是说,语言与生命有着直接的联系。有生命就有上帝,上帝是存在于语言之中的。呼吸系统健康的人能写出长句子,哮喘之人的文章肯定使用最多的是短句。有这样现象,我能从一个书法作品中看出作者的性格和生存环境以及他的命运。我曾让一个气血不畅的人去练"石门铭",结果他的气血通畅,恢复了健康。有一个笑话,讲两个结巴吵架,一个是快结巴,一个是慢结巴,结果快结巴占了上风,慢结巴说不过快结巴,扑上去动手脚,被旁人拉开了,慢结巴说:他,他,他,有,有,有,有什么强的,他就是比,比,比我能能能换个气,气,气嘛!是的,语言的形式就是换气的结果。世上多个民族语言不同,也就是换气不同、气息形成的音响不同而已。人类和动物的语言区别也在这里。所以说,什么是好的小说语言?只要能准确地表达出小说中人与事的情绪的语言就是好的小说语言。

传统的语言学里,强调语言的朴素,准确,生动。这都是对的。实际的操作中,有的人语言很平实,有的人语言很华丽,有的人语言粗糙,有的人语言雅致。这与各人的性格有关,与天赋有关,与生命基因有关,敲击木头是一种声,敲击瓦罐是一种声,敲击金属是一种声。莎士比亚和屈原可能是语言最华丽的作家,海明威用的减法,福克纳用了加法。不能说谁强谁弱,各具特色。托尔斯泰说,幸福的家庭都是一样的幸福,不幸的家庭却各有各的不幸。世上的美人都是一个样,丑与丑的距离却很大。语言的艺术,包括一切的艺术,其秉性在于个性。好的语言要看整体,看是否表达出了人与事的情绪,而不在于它是否用了什么形容词。鲁迅的名句:窗外有两棵树,一棵是枣树,另一棵还是枣树。若平常看,这话多啰嗦!可通过这两句话,传达了作者苦闷、无聊的情绪。巴金有一个作品,是写一个战士在前线作战时负伤昏迷,战斗结束后,已是半夜,他爬着返回阵地的故事。这篇文章句子非常短,标点全是句号。大意是这么写的:他抬起头来。月亮就在山岭。他向前爬了一下。再爬了一下。卧在那里大声喘气。他动了动右腿。又努力向前蹬了右腿。又向前爬出了一尺。这个战士整整爬了一个晚上,天亮终于爬回了自己的阵地。试想,一个负伤的人动作是迟缓和艰难的,抬脚动手都要歇歇,那就只能用短句和句号了。如果都是长句或逗号一类的标点,那就用不着花一整夜的工夫来爬了。当然,在能充分表达出文中人与事的情绪外,语言的修饰能修饰就修饰,这就说到下面几个问题了。

要会用形容词 形容词最好的运用是找到自己独特的一种感觉。独特就是新鲜,别人没有用过。有句话说:第一个将美人比做花的是天才,第二个将美人比做花的是庸才,第三个将美人比做花的就是蠢材了。张爱玲的语言好,好在她细腻奇特,她有生之俱来的对事物的感觉,形容什么东西顺口而出,而且接连形容,如打水漂儿,石片在水面上一连串地跳闪而去。但是,当你挖空心思去形容的时候,反过来,你什么都不形容,你就达到了最好形容的效果。这是形容的两个方面。地平线下测树高是一种测,地平线上测树根的深也是一种测。杜甫写诗是白纸上写黑字,李贺的词是黑纸上写白字。形容月亮,你可以说是个灯笼,是银盘,是香蕉,是橘子,是天之眼,是冰窟窿,但你说一句:月亮就是月亮,比前边的形容更好。我在初学写作的时候,喜欢从别人书上摘抄形容比喻好的句子,这当然对于启发和培养我的想象能力有好处,可我那时不懂整体的效果。现实生活中有的人五官分别十分漂亮,但配在一起却并不漂亮,有的人五官分别来看都不标准,配在一起却生动有味,蛮有风韵。我们读一些诗,有的诗,每一句都有所谓的诗情,精心用词,但读完了,整首诗毫无诗意,有的诗每一句都是口语,很平常,可读完后整个诗诗意盎然。古人讲词不善意,得意忘形,就说的这回事。《山海经》上讲混沌的故事,混沌是没鼻没眼的,有人要为混沌凿七窍,一天凿一个,凿到七日,七窍是有了,混沌却死了。

要会用多用些动词　形容可以使语言产生韵致,但它往往是静态的,而任何东西一动起来才能表现出大的美感。生动、有生命的东西是动着的。语言中多用动词,用常人不用的动词,语言就有了场面感,有了容量和信息量,有一种质的感觉,杜甫在《兵车行》中有一句:牵衣顿足拦道哭。七个字用了四个动词,这七个字就可以拍很长的一段电影。一般人用动词的地方,你用动词,一般人不用动词的地方,你用动词,你的句子就会让人眼前一亮。

成语的还原　最爱使用成语的是中学生,所以,所谓的学生腔也就是成语用得多。成语是什么,如戏曲中的程式,它是在众多的形象面前无法表达而抽象出来的语言。但一抽象为成语它就失去了生命的活力。马三立有一个有名的相声段子,讲发明了一个机器,把一头牛从机器这头赶进去,从机器那头出来就成了牛肉罐头。成语就是牛肉罐头。文学语言需要将牛肉罐头从机器这边再塞回去,变成活生生一头牛。如万紫千红,就写一万个怎么个的紫,一千个如何的红。现在有许多名词,追究原意是十分丰富的,但在人们的意识里它却失却了原意,就得还原本来面目,使用它,赋予新意,语言也就活了。比如糟糕,现在一般人认为是不好、坏了的意思,我曾经这样用过:天很冷,树枝全僵硬着,石头也糟糕了。又如团结,现在人使用它是形容齐心合力的,我曾经写过屋檐下的蜂巢,说:一群蜂在那里团结着。这样运用一些司空见惯的词,新意就出来了。我们说语言要向古人学习向民间学,向古人学,就是学他们遣词用句的精巧处,触一反三,而向民间学,留神老百姓口中的生动的口语。但这些都得改造。民间的方言俗语有十分丰富的好语言,但不能过多使用歇后语和生僻词,要优雅,要改造为普遍能懂得的意思。现在是白话文时代,现实生活中的语言可以直接进入文学作品,这样可以使文学语言有一种现实感、生活感,这一点很重要。在中国北方语系,生活用语可以直接进入,而南方一些地方则需要转换,所以,直接进入的语言容易成为语言,而需要转换的就困难了。别的地方我不大清楚,在陕西,民间土语是相当多的,语言是上古语言遗落下来的,十分传神,笔录下来,又充满古雅之气。我在《高老庄》里专门写到了这些。外界评价我的语言有古意,其实我是善于在民间寻找那些有古意的土话罢了。现在兴比较文学,有许多文章很有意思,但我喜欢看外国人用汉语写的中国方面的书,这是因为中西文化在他那里首先得到了结合,我也看重民间土语中的那些古词,这些古词用在民间土语里它就有活力。

善于运用闲话　语言的运用形成了作家的风格,凡是有风格的作家也都是会运用闲话。读沈从文、林语堂、老舍、孙犁和汪曾祺,会发现文章中常常有一些似乎无关重要的话,若是一般人,会删去这些话,而不伤害文章的原意。但是往往这些闲话会使读者会心一笑,或觉得玩味不已。闲话可以产生韵味,使语言有了弹性。这样的句子在这些作家作品里比比皆是,如果有意识去读,你就会体会出来,受启发而借鉴。一般的作家,当然除过大天才外,你读他的作品读多了,就能读出他的思维脉络。能善于闲话的作家差不多都是文体作家,有性情,艺术天赋高,有唯美倾向,又是不过时的作家。

以上我所谈到的关于语言的学习,大致还归之为传统性文学作品的范畴,它和现代文学,更和现代小说还有所区别。传统性的小说的视点是全能全知的,现代性小说更注重以作者或以小说中某人物的视点进行的。现代小说当然指具有现代意识,而现代意识说到底是人类意识。求变求新是现代意识的灵魂。现代小说讲究作家思想对真实性所发挥的作用,强调创造高于现实,并非只描绘外显的社会历史,还得创造心灵史和精神史,创造具体事物的诗性。那么,在叙述语言上更少作静态的描写,而具有导入状态的功能。它是进行时态的语言。如博尔赫斯。博尔赫斯是很受中国作家推崇的外国作家,他的叙述方式颠覆了我们传统的叙述方式,使小说更具备了动感,更获得了更大的精神空间。传统性的小说多写到的是人生、命运,现代性的小说多写的是人性、生命。现代小说有时可能并没有典型的人物,神奇的情节,或者有人物而没有姓名,按习惯看法不像小说,却更是小说,独立为小说,与散文界限分明。博尔赫斯的小说,马尔克斯的小说,略萨的小说,你只要看看他们的开头,你就明白他们的语言是怎样一下子将你导入状态,你随着他就走进一个漆黑的洞穴里,由他的火把一点点照耀你进入。现在国内年轻的作家都在采用这种方式,从行文上看,再也不作那样指导式的写法,而是叙述。这种导入状态的功能是以伟大的弗洛伊德潜意识学说为基础的,提供了广阔的心理空间。《尤利西斯》这本难懂的书你可以什么都没有看懂,但你要看得懂他是怎样把潜意识的东西用语言传达出来。比如我们写张三和李四说话,张三问你早饭吃的什么?李四说吃的稀饭。张三又问:下饭的菜呢?李四说:是咸菜。以传统的写法,我们就一问一答地写了。而乔伊斯不这么写,张三在问李四:你早饭吃什么?张三是看着李四的,李四或许坐在窗前椅子上,但现实生活中张三问李四这一句话时眼睛看着李四,眼里的余光一定就同时看到了李四身后的窗台上还放着一束花,窗子的帘布是红色的或白色的,这些他全看到了,但看到这些一定会反射在他的心里,觉得那束花好看不好看,花是谁送的,帘布合适不合适,是谁买的,又用过多久。这些都是潜意识,不会说出口,更不会影响到他在问李四你早饭吃的什么。乔伊斯却在一问一答中同时把这一切都写了下来。所以说,现代小说的语言更具有独立性,能直接达到目的。学习现代小说的语言,重要的一点就是改变旧的文学思维,要确立新的文学观。有了新的文学观才能真正地学到精髓。现在有人学个表面,或者全部短句和句号,或者大量铺设进行煽情的长句和没标志,将意识流变成心理活动。

现在,再谈谈对话。我谈简单些,只谈一点,即它的功能变化。

在中国戏曲上,唱段是抒发心里情感的,即言之不尽而咏之,对白(即对话)则是叙述的,承上启下,交代故事。中国戏曲上的这种办法被中国传统小说所采用,对话在小说中的功能当然也能起到塑造人物之效,但更多的还是情节过渡转化,或营造氛围。一般作品中的对话仅是交代,优秀作品则多于营造渲染气氛,为塑造人物性格服务。现代小说则改变了,将对话完全地变为营造渲染气氛和抒写心理活动,可以说和中国戏曲的那一套颠了个过儿。对话成了现代小说展示作家水平高低的重要舞台。可以看出,现代小说中的对话就是对话,直抵精神。如一座水泥建筑上的窗户。在这里,潜意识得到泄露。所以,许多现代小说最难懂的部分就是对话。乔伊斯的《尤利西斯》恐怕是世界上最让人难读的小说,但它却是上个世纪最伟大的小说。我读它的时候,也糊糊涂涂,但我看懂了它的对话,我前面举过例子,他是在对话中充分把潜意识显示出来。而扩张丰富着人的精神空间。

语言的学习和掌握,对于作家是一生不可松懈的工作,它的丰富和神秘充满了巨大的诱惑,深入进去,又极其艰难。它是作家最基本的使用工具,又是作家终生奋斗的目的。如书法一样,你整天面对的是那些熟悉的字,你却一辈子去写它总不能写好。又如钞票一样,说是一张纸,确是一张印有图案的纸,而这张印有图案的纸却能改变一切,颠覆一切。在我早年初学写作的时候,我有过许多采集语言的小本子,也曾把一些好听的民歌的曲谱以数字形式在绘图纸上标出分析平面节奏。现在回想起来,这些工作是必不可少的,但也仅是做一些外在的功夫,如写书法,首先掌握毛笔,以至于要将毛笔训练成它不是毛笔而是身体上长出的东西,但是,真正把握语言,最重要的还是自己的内功,语言只是一个作家全部的修养的一种体现。如火之焰,珠宝之光,人之气质。

有这样的情况:你进入大的商场,或大的菜市场,人声鼎沸,你知道人人都在说话,但听不出都在说什么,是嗡嗡一片。语言的声波的节奏。走近了,你听出在说什么,并且能看到每个人的说话是肢体和面颜一起发生。语言是情绪的反映。这又回到我讲的前边部分了。我记得黄苗子或黄永玉什么人说过一句话,他说,鸟在树上叫的时候,我们人并不知它在叫着什么内容,但觉得叫得好听,我们只欣赏它叫得中听就是了。那么,我今天谈语言,其实什么也谈不出来,我企图从写作者的立场去探究一些好语言的奥秘,或者说寻一些规律性的东西,但我无法把它的奥秘说出来,语言,世上一切声音都是上帝赋给各个物体的,它和各个具体的生命有关,你若要探索,似乎明白了一点,同时又在这一点上糊涂了,那么,我们就做欣赏者,去倾听而已。我的讲话告一段落,谢谢大家。

2002 年 5 月 17 日

古　土　罐

我来自乡下,其貌亦丑,爱吃家常饭,爱穿随便衣,收藏也只喜欢土罐。西安是古汉唐国都,出土的土罐多,土罐虽为文物,但多而价贱,国家政策允许,容易弄来,我就藏有近百件了。家居的房子原本窄狭,以至于写字台上、书架上、客厅里,甚至床的四边,全是土罐。我是不允许孩子们进我的房子,他们毛手毛脚,担怕撞碎,胖子也不让进来,因为所有空间只能独人侧身走动。曾有一胖妇人在转身时碰着了一个粮仓罐,粮仓罐未碎,粮仓罐上的一只双耳唐罐掉下来破为三片。许多人来这里叫喊我是仓库管理员,更有人抱怨房子阴气太重,说这些土罐都是墓里挖出来的,房子里放这么多怪不得你害病。我是长年害病,是文坛上著名的病人,但我知道我的病与土罐无关,我没这么多土罐时就病了的。至于阴气太重,我却就喜欢阴,早晨能吃饭的是神变的,中午能吃饭的是人变的,晚上能吃饭的是鬼变的,我晚上就能吃饭,多半是鬼变的。有客人来,我总爱显示我的各种土罐,说它们多朴素,多大气,多憨多拙,无人了,我就坐在土罐堆中默看默笑,十分受活。

我是很懒惰的人,不大出门走动,更害怕去社交应酬。自书画渐渐有了名,虽别人以金来购,也不大动笔,人骂我惜墨,吝啬佬,但凡听说哪儿有罐,可以弄到手,不管白日黑天,风寒雪雨,我立即就赶去了。许多人因此而骗我,提一只土罐来换几个字,或要送我一只土罐而要求去赴一个堂会,上当受骗多了,我也知道要去上钩入瓮,但我控制不了我,我受不了土罐的诱惑。我想,在权力、金钱、女色、名誉诸方面,我绝对有共产党人的品质,而在土罐方面不行。对于土罐的如此嗜好,连我也觉得不解,或许我上上的那一世曾经是烧窑的?或许我上上的哪一世是个君王富豪?

这些土罐,少量是古董市场上买的,大量是以字画变换,还有一些,是我使了各种手段从朋友、熟人手中强夺巧取而来。在我洋洋得意收藏了近百的土罐之时,一日去友人芦苇家,竟然见得他家有一土罐大若两人搂抱,真是馋涎欲滴,过后耿耿于怀,但我难以启口索要,便四处打听哪儿还有大的,得知陕北佳县一带有,雇车去民间查访,空手而归,又得知泾阳某人有一巨土罐,驱车而去,那土罐大虽大,却已破裂。越是得不到越想得到,遂鼓足勇气给芦苇去了一信,写道——

　　古语说,神归其位,物以类聚。我想能得到您存的那只特大土罐。您不要急。此土罐虽是您存,却为我爱,因我收集土罐上百,已成气候,却无统帅,您那里则有将无兵,纵然一木巨大,但并不是森林,还不如待在我处,让外人观之叹我收藏之盛,让我抚之念兄友情之重。当然,君子是不夺人之美,我不是夺,也不是骗,而要以金购买或以物易物。土罐并不值钱,我愿出原价十倍数,或您看上我家藏物,随手拿去。古时友人相交,有赠丫环之举,如今世风日下,不知兄肯否让出瓦釜?

信发出后,日日盼有回复,但久未音讯,我知道芦苇必是不肯,不觉自感脸红。正在我失望之时,芦苇来电话:"此土罐是我镇家之物,你这般说话,我只有割爱了!"芦苇是好人,是我知己,我将永远感谢他了。我去拉那巨大土罐时,特意择了吉日,回来兴奋得彻夜难眠,我原谅着我的掠夺,我对芦苇说:物之所得所失,皆有缘分啊!

现在,巨大土罐放在我的家中,它逼着一些家什移位于阳台上,而写字台仅留给我了报纸一般大的地方。我在想,这套房子到底是组织上分配给我住的还是给土罐住的?这些土罐是谁人所做,埋入谁人坟墓,谁人挖掘出土,又辗转了谁人之手来到了我这里?在我这里待过百年了又落在哪人手中,又有谁能还知道我曾经收藏过呢?土罐是土捏烧而成,百年之后我亦化为土,我能不能有幸也被人捏烧成土罐,那么,家里这些土罐是不是有着汉武帝的土,司马迁的土,唐玄宗或李白的土?今夜,月明星稀,家人已睡,万籁俱静,我把每个土罐拍拍摸摸以想象,在其身上书写了那些历史的人名,恍惚间,便觉得每个土罐的灵魂都从汉唐一路而来了,竟不知不觉间在一土罐上也写下了我的名字。

1998 年 2 月 19 日

残　佛

去泾河里捡玩石,原本是懒散行为,却捡着了一尊佛,一下子庄严得不得了。那时看天,天上是有一朵祥云,方圆数里唯有的那棵树上,安静地歇栖着一只鹰,然后起飞,不知去处。佛是灰颜色的沙质石头所刻,底座两层,中间镂空,上有莲花台。雕刻的精致依稀可见,只是已经没了棱角。这是佛要痛哭的,但佛不痛哭,佛没有了头,也没有了腹,莲台仅存盘起来的一只左脚和一只搭在脚上的右手。那一刻,陈旧的机器在轰隆隆价响,石料场上的传送带将石头传送到粉碎机前,突然这佛石就出现了。佛石并不是金光四射,它被泥沙裹着,依样丑陋,这如同任何伟人独身于闹市里立即就被淹没一样,但这一块石头样子毕竟特别,忍不住抢救下来,佛就如此这般地降临了。我不敢说是我救佛,佛是需要我救的吗?我把佛石清洗干净,抱回来放在家中供奉,着实在一整天里哀叹它的苦难,但第二天就觉悟了,是佛故意经过了传送带,站在了粉碎机的进口,考验我的感觉。我庆幸我的感觉没有迟钝,自信良善未泯,勇气还在。此后日日为它焚香,敬它,也敬了自己。

或说,佛是完美的,此佛残成这样,还算佛吗?人如果没头身,残骸是可恶的,佛残缺了却依然美丽。我看着它的时候,香火袅袅,那头和身似乎在烟雾中幻化而去,而端庄和善的面容就在空中,那低垂的微微含笑的目光在注视着我。"佛,"我说,"佛的手也是佛,佛的脚也是佛。"光明的玻璃粉碎了还是光明的。瞧这一手一脚呀,放在那里是多么安详!

或说,佛毕竟是人心造的佛,更何况这尊佛仅是一块石头。是石头,并不坚硬的沙质石头,但心想事便可成,刻佛的人在刻佛的那一刻就注入了虔诚,而被供奉在庙堂里度众生又赋予了意念,这石头就成了佛。钞票不也仅仅是一张纸吗,但钞票在流通中却威力无穷,可以买来整庄的土地,买来一座城,买来人的尊严和生命。

或说,那么,既然是佛,佛法无边,为什么会在泾河里冲撞滚磨?对了,是在那一个夏天,山洪暴发,冲毁了佛庙,石佛同庙宇的砖瓦、石条、木柱一齐落入河中,砖瓦、石条、木柱都在滚磨中碎为细沙了而石佛却留了下来,正因为它是佛!请注意,泾河的泾字,应该是经,佛并不是难以逃过大难,佛是要经河来寻找它应到的地位,这就是它要寻到我这里来。古老的泾河有过柳毅传书的传说,佛却亲自经河,洛河上的甄氏成神,缥缈一去成云成烟,这佛虽残却又实实在在来我的书屋,我该呼它是泾佛了。我敬奉着这一手一脚的泾佛。

许多人得知我得了一尊泾佛,瞧着皆说古,一定有灵验,便纷纷焚香磕头,祈祷泾佛保佑他发财,赐他以高官,赐他以儿孙,他们生活中缺什么就祈祷什么,甚至那个姓王的邻居在打麻将前也来祈祷自己的手气。我终于明白,泾佛之所以没有了头没有了身,全是被那些虔诚的芸芸众生乞了去的,芸芸众生的最虔诚其实是最自私。佛难道不明白这些人的自私吗?佛一定是知道的,但佛就这么对待着人的自私,他只能牺牲自己而面对着自私的人,这个世界就是如此啊。

我把泾佛供奉在书屋,每日烧香,我厌烦人的可怜和可耻,我并不许愿。

"不,"昨夜里我在梦中,佛却在说,"那我就不是佛了!"

今早起来,我终于插上香后,下跪作拜,我说,佛,那我就许愿吧,既然佛作为佛拥有佛的美丽和牺牲,就保佑我灵魂安妥和身躯安宁,作为人活在世上就好好享受人生的一切欢乐和一切痛苦烦恼吧。

人都是忙的,我比别人会更忙,有佛亲近,我想以后我不会怯弱,也不再逃避,美丽地做我的工作。

1997 年 2 月 20 日

在《美文》创刊五周年纪念会上致辞

尊敬的各位来宾,女士们、先生们:

大家好!

孔子说:有朋自远方来,不亦乐乎。今天我们真是高兴!各位都是大作家、大学者、大记者、大编辑,你们的作品我们差不多全读了。杰出的成就、高贵的人格、雪澡的精神一直使我们心向往之。今日有这个机会,能请来西安,能见到你们,真是我们的荣幸!我代表西安市文联《美文》杂志社全体同志并以我个人的名义热烈欢迎你们,并再次致以谢意!

邀请诸位的机会是《美文》杂志创办了五周年。《美文》五年来,诸位以作品支持过我们,以工作帮助过我们。当我们曾得到你们的帮助,曾接到你们的作品时,我们大呼小叫,奔走相告。五年来,我们在极端困难的情况下,将一个地方刊物办成一个在国内产生了很好影响的刊物。其中我们的工作热情、办刊的自信力,相当大的部分,正是来自你们。那时,我们就想,什么时候,把你们请到西安来,这一天终于实现了。俗话说,宴席好摆,客难请。你们在百忙之中慷慨应允,不辞辛劳赶来,倒令我们有些受宠若惊的感觉了。

《美文》创办时,散文在国内还处于低潮,那时散文界弥漫着一股柔靡之风。我们办这样一份刊物,目的就是以我们的力量来反对那种甜腻的、花花草草的、鸡肠小肚的一类文风,倡导散文的大气、清正,鼓呼把散文的路子拓开,为越分越细沉沦为小家子气的散文广大门路,所以我们喊出了"大散文"的话。"大散文"的观念说出后,引起了散文界长时期的争论,我们不敢说我们的刊物所发表的文章就都是所谓大散文,但是我们可以说,五年过去,检阅我们的刊物,我们倡导的精神足以看出。而且,这种观念,得到了广大散文作家、读者的认可和欢迎,国内相当多的散文杂志和综合性文学杂志也相继开设了大散文栏目,与我们遥相呼应。当然,刊物还远没有达到我们期望的境界,我们的努力存在着这样那样的不足。这是我们要向各位汇报的,也是恳请诸位继续帮助和支持的。

这次请诸位来,并不是要各位为《美文》说什么话,做什么事,也不准备开这样那样的会。我们敬重和热爱你们,想借机会请你们来看看西安,能同你们共同生活几天就心满意足了。在不可能多的几天里,看看你们的风采,听听你们的谈吐,能给一些思维上、智慧上的启示,这就是我们最大的心愿。希望各位在很短的几天里,不会有任何负担和为难,过得轻松、开心和健康!西安是一座古城,中国汉文化的氛围很浓,旅游东线的秦兵马俑可以增进我们做人的雄浑气势;西线的霍去病墓的石雕可以体悟我们对艺术的理解。但是,西安经济还不甚发达,尤其《美文》的接待能力、条件很有限,我们虽要尽我们的能力,很可能接待不好。诸位是天南海北走遍的人物,对我们的能力低下和条件简陋望给以包涵。

李白在古长安时说过"仰天大笑出门去,我辈岂是蓬蒿人",各

羊的故事

在遠方的草原上有一家羊，從夏天走到了冬天，從冬天走到了夏天，一直背着將敌一道，都在马上

己丑 李白

避暑圖 癸未歲於太白大畫 平四畫

位出门而来,正是"天下谁人不识君"。你们的到来,将使我们西安的文坛再不空旷。

我们初见,实在想说许多我们的心情,但说得多了,又易让人产生"大忠若奸"的嫌疑,所以我也不多说了,我只有一个心愿,愿从此你们能认我们是朋友,能知道在西安有你们的一批实心实意的朋友!

1997 年 9 月 20 日

给尚×的信
——关于获法国费米娜文学奖的前后

尚×先生：

感谢你的关注！问及《废都》一书获奖之事，我作一答复。这种答复由我来作，确实有点不该，话也不好说，却荒唐到我不说，谁也不知道。别的人来询问，一言两语就应付过了，对你竟得前前后后地说。

一九九三年《废都》出版后，巨大的荣誉和羞辱使我走向了平和，日月寂寞，也孤独，一年复一年的春夏秋冬，我在西北大学的两室房里，一边养我的病一边写我愿意写的文章。一九九七年，这个冬天也很快要过去了，十月二十（或二十一）日，原本还暖和的天，突然气温下降，老弱病残者大多感冒，母亲感冒了，孩子感冒了，而最容易感冒的我竟然幸免。傍晚，我站在那尊释迦牟尼的石头像前祈祷，盼望母亲和孩子的感冒尽快过去——母亲是七十岁的人了，而孩子的病因感冒要加重的。这时电话铃响起来，一切就开始了，是法国的安博兰女士在巴黎的那头通知我：《废都》的法译本已经出版，给我寄出了数册，不知收到否，而此书一上市，立即得到法国文学界、读书界极为强烈的反响，评价甚高，有人称是读中国的《红楼梦》一样有味道，有人惊讶当代中国还有这样的作家，称之为中国最重要的作家，伟大的作家。并说此书已入围今年法国费米娜文学奖的外国文学奖,出版该书的斯托克出版社委托她邀请我去巴黎参加十一月三日的揭晓及颁奖大会,问能不能来,政府能不能让来。突如其来的消息使我一时不知所措,我慌乱地在电话里说:《废都》法译本是出版了吗?这太好了,我感谢你,感谢斯托克出版社,有人那样评价我,这太过分了,我是一个普通的作家,中国优秀作家多的是,那样评价我消受不起。安博兰女士是法文版《废都》的译者,数年前代表法国斯托克出版社与我签订过翻译合同,但以后再未联系,鉴于台湾、韩国等地区和国家因《废都》版权发生过欺骗我的行为,未能付酬或少付酬,对于法译本事我已淡然。安博兰的消息令我意外而兴奋,但她声音尖锐,中文说得紧急,我只会说陕西话,许多话她听不懂,就反复讲译本在法国的反响如何如何的强烈,追问我十一月三日能不能赶来。我说政府可能不会不让去的,问题是我没有护照,要办护照,法国方面得来个邀请函,这边才能申办,而申办手续复杂,不是一天两天可办理完的,且还得去北京签证,这样时间就来不及了。当然,我心里还有个小算盘,想,入围只是入围,真的去了,揭晓会上揭晓的不是《废都》,那我去的意义就不大。因身体不好,生性又不大善应酬,这些年美国、加拿大、日本和台湾等国家和地区皆邀请我去访问或开会,我都一一谢绝了的。至于在法国的反响,我是还有些自信的,因为此书在中国,于一九九三年十二月份有人做过调查,不到半年时间,除正式或半正式出版一百万册外,还有一千多万册的盗印本,这些年盗印仍在不停。日译本曾在日本极为轰动,年初时已再版再印数次,发行到六万四千多册,所有报纸都有消息和评论,以致日本公论社欲连续出版我的作品。韩译本亦是如此。港台版更是几乎发行到全球所有的华人区。但能在东方之外的法国得到这样的反应并有可能获奖,这是我没有想到的。我最后告诉安博兰:让我再考虑考虑,明日晚上望再联系。放下电话,我沏了茶喝,门又被敲响,我的门常被人敲的,一般是不开的,今夜却开了门,原来是外地来的几位杂志社编辑,他们一是得知我六月份到十月份又住了院治病来看看,二是约稿,女士们带来的礼物是一抱鲜花。我暗想,这花来得好!正坐下说话,孙见喜和穆涛两位文友来聊天,他们还在取笑我前日玩麻将又输了钱,说,你内战内行,外战外行,对你的输钱深表同情和慰问。我当然要回击他们,说钱宜散不宜聚,我是故意输的,不输那一场麻将哪能有法国的好事呢?随之告诉了刚才的消息。他们听我说后,竟比我还高兴,嚷嚷这么大的好事,你倒拿得稳!喝酒呀,拿酒让大家喝呀!我已经多年不动酒了,家里自然不存酒,仅有几瓶别人拿来的"金太史"啤酒。窗外的风呼呼地响,冷啤酒又没酒杯,就以粗瓷碗盛了,举之相碰,齐声祝贺。有个编辑说,明日我写个消息寄给报社去,应该让更多人知道此事,我赶忙挡了,获奖八字还没见一撇,万万不敢对外说。"金太史"啤酒是司马迁家乡的酒,今晚喝之,特别有意义,编辑们都是带了相机的,当场照了相。这照片后来送我,上边写了五个字:清冷的祝贺。

  第二天约好安博兰再来电话,但因孩子的病我去询问一个名医,回来晚了,未能联系上,家里的电话是市内电话,无法拨通巴黎,只好作罢。事后得知,安博兰未能与我联系上,就找北京的吕华,吕华是中国文学出版社的法文部主任,与安博兰熟悉,也是法国认同的几个中国法文翻译家之一。吕华也不知我在哪儿,从该社编辑、作家野莽那儿得知了孙见喜电话,孙见喜又找我,又找穆涛,穆涛办公室有传真,吕华将邀请函传给了穆涛,并约了我与安博兰通话的时间。再次与安博兰通话,距十一月三日时间又缩短了三天,我是无论如何也去不了巴黎了。这样,我只有等待十一月三日的揭晓消息了。

等待是熬煎人的。十一月三日,没有动静,四日晚,我在《美文》编辑部玩麻将,到很久的时间了,穆涛从他的房间出来,让我接电话,说吕华通知《废都》获奖了!我说:你哄我吧?穆涛说:真的,你接电话。电话里吕华说:"刚刚得到消息,《废都》获法国费米娜外国文学大奖!我向你祝贺!"我朝空打了一拳,说:好!返身再去玩牌,已视钱如粪土。痛快玩到肚饥,几人去水晶宫饭店吃夜宵,当然我请客。我把消息告知家人,又通知孙见喜,让他也来吃饭。饭毕,又去编辑部,孙、穆主张写一小稿,将消息报道出去。我说:自己报道自己的消息?!穆涛说:这是特殊情况,你不说谁知道,万不得已啊!可怜他二人从未写过消息报道,写了几遍都不满意,更要命的是,《废都》在国内被禁,多年来新闻界见"废都"二字如见大敌,少是拒不宣传,多是避之不及,明哲保身,谁肯发表呢?费尽心力将小稿写出,又反复给吕华拨电话,进一步查证有关资料,以免稿子内容有误,最后形成文——

  据十一月三日法国巴黎消息:中国作家贾平凹的一部长篇小说(《废都》)荣获"法国费米娜外国文学奖"。这是贾平凹继一九八八年获"美国飞马文学奖"之后又一次获得重要的国际文学奖。"费米娜文学奖"与"龚古尔文学奖"、"梅迪西文学奖"共为法国三大文学奖。该奖始创于一九〇四年，分设法国文学奖和外国文学奖，每年十一月份第一个星期的第一天颁奖。本届评委会由十二位法国著名女作家、女评论家组成。贾平凹是今年获得该奖项"外国文学奖"的唯一作家，同时也是亚洲作家第一次获取该奖。

之所以在稿子中将《废都》写入括号内，即担心有的报纸不敢使名字出现，便可以删去括号而不影响原文。

后来，报纸上发出此文稿时，果然均删去了《废都》二字。刊登消息的报纸我见到的有《文艺报》《文学报》《作家报》《文论报》《文汇报》《解放日报》等，陕西的报纸仅《三秦都市报》。这期间，法国国际广播电台连续一周报道此事，美国之音也作了报道，并且法国国际广播电台电话采访了我，也联系了陕西几位作家作了电话采访。至后，有人寄来台湾《联合报》，上边也发了消息。国内发表消息的多是文学专业报纸，一般人多是收听了法国台和美国台后得知的，于是十多天里，我不断收到一些报刊社、作家、读者来信来电的恭贺，且大都对国内报道时不提《废都》二字表示不满。但对于我，这已经十分十分的满足了，能将此消息发出，我感到了温暖。在众多的贺电贺信中，我得提及两位特殊人物，一位是法国文化和联络部部长卡特琳·特罗曼的贺电，电文是："谨对您的小说《废都》荣获费米娜外国文学大奖表示最热烈的祝贺。相信这部杰出

的作品一定能够打动众多的读者。"一位是法国驻华大使皮埃尔·莫雷尔的贺信,信文是:

> 欣喜地获悉您发表在斯托克出版社的长篇小说《废都》荣获费米娜外国文学大奖。费米娜文学奖创立于一九○四年,是法国最有权威和盛名的文学奖之一。在此我谨以个人的名义,对您获得的殊荣表示祝贺。其实在评委尚未表决之前,评论界已经广泛地注意到您的作品。相信它无论在法国或在世界其他国家都能获得青睐。我希望您的小说能由于您在法国取得的成功,得到更多中国读者的喜爱。我非常希望能在法国驻华大使馆接见您,以便使您的光辉成就得以延续,并通过此开创法中文学交流的新局面。谨请贾先生接受我崇高的敬意。

对于法国文化和联络部部长和法国驻华大使的贺电贺信,我不知怎么办,除了分别给予他们回信感谢外,觉得法国政府如此重视,不给组织说不是,给组织说也不是,考虑再三,给中国作协领导人去了一信,说明了情况。几天后,张锲同志来电话,说翟泰丰同志因病住院,让他给我复信,但信无法写,故打电话,主要讲两层意思:一、表示祝贺。二、你不知怎么办,我们也不知怎么办,你自己处理。最好向当地领导请示一下。这样的答复既是朋友式的祝福,又是一级上边领导为难而又聪明的处理意见。我考虑西安市领导可能也是如此态度,若让领导尴尬,倒不如不去请示了,就自我处理。于是我给法驻华大使去信说明我一时去不了北京。几日后,大使馆来了电话,通知说大使十二月十五日来西安,希望我能在西安接受大使的接见。法国是文学艺术大国,法国人如此客气地对待一个普通的外国作家,这令我几多感慨而深深地表示敬意。

十一月十四日,西安地区文学界的朋友百多人,以民间的形式在市北郊的桃花源休闲山庄召开了"贾平凹小说创作座谈会"。这次会议,是一些文友提出的,我曾反对,认为太张扬了,他们不让我管,便由企业家也是乡党的章功孝出资,筹办一个"贾平凹荣获法国费米娜文学奖庆贺酒会"。后听他们说,有人担心起这个名字无法在报上发消息,又太刺激有关方面,遂改名创作座谈会,来的人皆不论行政职务,仅以朋友身份。没想原准备二三十人,得到消息后人来到百多位,几乎是陕西的评论界、作协、大学中文系、各报文艺部的全部头面人物,来者皆十分激动,发言热烈而极有水平。这些人,在《废都》出版当初,都为《废都》写过文章或发表过意见,现在重新评说《废都》,又有新的感受和话题,会议一直开到中午近两点才结束,主持人萧云儒先生也感叹久时没开过这般高质量的座谈会了。会后,数家报纸做了报道,《西部文学报》集中了大半版发了报道,又刊登了法国文化和联络部长、驻华大使的贺电贺信,我的发言,李国平的《贾平凹:一个具有国际影响的作家》一文。此报出版后,外地来电来信祝贺者更多,而陕西的《军工报》、《社会保障报》等以特稿形式披露了获奖内幕,山东、四川等地报纸也做了专门采访。

十二月十五日,法驻华大使来到西安,同时十三日吕华从北京来,谈了许多法国方面的事,他讲他曾在法国两年,平时与法国文学界、出版界打交道多,法国历来是看不起中国文学的,法国的书展上,日本文学的橱窗占地颇大,给中国文学留的门面极小,这次获奖,是为中国作家出了一口气,争了大光。而这期间,数次与安博兰通电话,她讲:"您在法国几乎是人人都知道了的人物了!我近来特别忙,每日有记者采访或作家来询问您的情况,谈对《废都》的感受。"并告诉我,法国的《新观察》杂志每年评世界十位杰出作家,并一起在该刊十二期写同一题目的短文亮相,今年我列入其中。但要述写的小文名为《我的控诉》(沿用左拉的一篇文名),我担心国人对这个文名产生异议,故写了《我的话》,文章也反复考虑修改,以免引起不必要的误解。而法国方面坚持用"我的控诉"为文名,强调历来都用这个文名,所以我重新又写,写得十分谨慎,算交了差。十二月十五日晚,我、吕华、穆涛、袁西安按时到凯悦饭店见大使一行,吕华做法语到中文的翻译,大使带来的翻译把我的话翻译成法语,同时在座的有文化参赞和秘书。双方交谈了近两个小时,大使详细问了我生活、创作方面的情况,又谈了他读《废都》一书中一些人物、情节的感受,以及法国的文学界、出版界方面的事,说道:您现在在法国是一位有地位的作家了,出版社一定会继续出版您的作品的,如果您的近六十部书能全部介绍到法国,法国的读者则有幸了。他热情而又幽默。我说斯托克出版社已来信准备继续出版我的作品,法国文学是高贵的,我的书能得到法国文学界、读书界的认同,我很高兴,也深表谢意,请他一定转告我对评委会的敬意和问候。大使对于我没能亲自去领奖深表遗憾,欢迎我随时去法国访问,如果办签证,直接找他,他保证一小时内办完。最后,他送我一册精美的中法文对照的《从中国到凡尔赛》画册,在扉页上写道:"赠送此书给贾平凹先生,以作为我们今晚的亲切会见的纪念,并向您表示崇高的敬意!"又拿了他自己的法文版《废都》让我签名。我回赠了他一本中文版的《废都》和我的一幅书法。

法国的文学艺术在世界上是极有地位的,法国人浪漫而重艺术,《废都》的获奖,又如此受他们重视,我一方面感到欣慰,但也同时感到一种悲凉。我的一位朋友,现移居北京,她当年是我的读者,曾为《废都》常与人辩论,她得知获奖消息后给我打电话,说:"这太棒了!那天夜里我几乎无法睡着,我无声地哭了,中国作家的书在国内遭禁而被外国文学界认可,我心里有说不出的一份痛苦。"她的话令我也心酸,但我笑了,说:"其实这已经很好了,是是非非我经见多了,只要我还能写作,只要有读者还读我的书,一时的荣与辱都无所谓的。"

此后,《中华读书报》刊登了一九九七年法国各文学大奖的获奖书目和作家介绍,其中自然提到了《废都》,虽然别的书和作家详细介绍,说到《废都》只一句,但这却是国家级报纸第一次披露了获奖的书名《废都》。再后,《文学报》约孙见喜撰写了长文《贾平凹,九七文坛独行侠》,分两期刊出,详细写了获奖的事。而我,经过一段惊喜和忙乱后,已恢复以往的平静了,治我的病,治孩子的病,写我的文章,活我另一番的人。

1998 年 1 月

《贾平凹书画》自序

这一本书画集,书多画少,可以说是本书法集,收辑了近几年所写的一部分,但我却是从六岁起至现在几乎天天在写字,以字活人的人。如果在古时,一个写字的人是不会出一本书法集的,他们的任何一位也比我在这本集中的字写得好,然而现在,我却是书法家,想起来委实可笑。苏东坡是我最向往的人物,他无所不能,能无不精,但他已经死在了宋朝。我的不幸是活在了把什么都越分越细,什么里都有文化都有艺术的年代,所以,字就不称之为字,称书法了。食之精细,是胃口已经衰弱,把字纯粹于书法艺术,是我们的学养已经单薄不堪。越是单薄不堪,越是要故弄玄虚,说什么最抽象的艺术呀,最能表现人格精神呀,焚香沐浴方能提笔呀,我总是不大信这个。庙里的大和尚,总是让乡下的老太太在佛像前磕头烧香,但他们知道佛是什么,骂佛是屎橛子。

我喜欢写字,是我从事着写文章的工作不能不写字,没有当兵的不爱武器的。我看到过许多人,以至于许多人让他的孩子,没黑没明坐在房子里练字,我就想起了乡间剪窗花的妇人和日本人的相扑,有趣或许有趣,但毕竟过去了。我坦白招来,我没有临习过碑帖,当我用铅笔、钢笔写过了数百万字的文章后,对汉字的象形来源有所了解,对汉字的间架结构有所理解,也从万事万物中体会了汉字笔画的趣味。如果我真是书法家,我的书法的产生是附带的,无为而为的,这犹如我去种麦子,获得了麦粒也获得了麦草。

有人说,书法必须是毛笔创造的。这话若被肯定,那么,我的字被书法了是八十年代的中期。那时,我用毛笔在宣纸上写字,有了一种奇异的感觉,从此一发不能收拾。我的烟也是那时吸上瘾的。毛笔和宣纸使我有了自娱的快意,我开始读到了许多碑帖,已经大致能懂得古人的笔意,也大致能感应出古人书写时的心绪。从那一阵起,有人向我索字了,我的字给许多人办过农转非、转干、调动的好事,也给许多人办过贿赂、巴结、讨官的坏事,我把我的字看得烂贱如草,谁要就给谁写,曾经为吃得三碗搅团写过一大卷纸哩。

但是,被人索字渐渐成了我生活中的灾难,我家无宁日,无法正常地读书和写作,为了拒绝,我当庭写了启事:谁若要字,请拿钱来!我只说我缺钱,钱最能吓人的,偏偏有人真的就拿钱来。天下的事有趣,假作真时真亦假,既然能以字易钱,我也是爱钱的,那我就做书法家呀!

在我有了做"书法家"的意识,也可以说有了"书法家"的责任,我认真地了解了当今的书风。当今的书风,怎么说呢,逸气太重,好像从事者已不是生活人而是书法人了,象牙塔里个个以不食烟火的高人自尊,博大与厚重在愈去愈远。我既无夙志,能力又简陋,但我有我的崇尚,便写"海风山骨"四字激励自己,又走了东西两海。东边的海我是到了江浙,看水之海,海阔天空,拜谒了翁同龢和沙孟海的故居与展览馆。西边的海我是到了新疆,看沙之海,野旷高风,奠祀冰山与大漠。我永远也不能忘记在这两个海边的日日夜夜,当我每一次徘徊在碑林博物馆和霍去病墓石雕前,我就感念了两海给我的力量,感念我生活在了西安。

我最清楚不过,我的书法是缺乏基本训练——而这又是当今流行的一种要求——它充其量属于顿悟式,这如非洲的一些国家实行民选一样,民选是民选了,却常有军人们起来就把民选的总统颠覆。我也明白,我的书法多多少少借助了我在文学上的声名,但我想,这和那些领导的题字还是两码事吧,所以,才敢于让出版社出版这本集子。

但我仍坚持,我写的是一些汉字,不是书法,我也不要书法家。

1998年3月5日

一九九八年五月三日的笔记

我知道,不是所有的人都读我的书,不是所有读我书的人都喜欢我,不是所有喜欢我的人都理解我。我之所以还在热情不减地写作,固然是因为我只能写作,这如同蜜蜂中的工蜂,工作着就是存在的意义,还因为在这个时代里,人间的许多故事还真需要去写。年轻的时候没有愁强要说愁,人到中年以后了真正有了愁却不愿再谈,这便是我近年来绝少在人稠广众中露面和发言的原因。女为悦己者容,士为知己者死,文学到底是什么,疑惑得我到底是从哪儿来的死后又要去哪儿一样地疑惑。朦朦胧胧里意识着艺术是以征服而求存在,但适应适应的喊声四起,令我在峡谷的桥上摇摇欲坠。二十余年的写作过程,暴露了我毕竟不是贵族,我的父母是乡下人,我住进了城里也仅仅是名小市民或者充其量为中产阶级,纵然我心性高傲要做凤凰,追逐着西方文学的境界,但我提醒着自己要做凤凰一定得生成鸡的羽毛,它不仅去吃莲子和竹实,更一定得在中国的乡下和小城镇的土地上刨食虫子、谷糠、菜叶和石子。别以为我是凤凰,梧桐树上不是我的家园,也别以为我是鸡雏,屋角里放一把干草就可以做窝生蛋,我的两不是决定了我的不刺激,也决定了我的不为同聚和类分的尴尬。这活该自作自受。写作愈是与整个社会深层的融合,写作愈成为纯粹的个体行为,挨过了吃饭穿衣的温饱之后,企图获得的掌声和鲜花已不再企图,踏实于真正的现代汉语写作上的探索,在平和的心态中去享受了孤独和寂寞。今夜里天空是多么晴朗啊,云飞来了云又飞去,明月一路到了窗前,我写下上面的话却突然想起了我的读者,今夜里我的书又被谁读呢?在书房里,在床头,在列车中还是在厕所的马桶上?是认可或是摇头,是赞赏或是咒骂?但我说,我们都是有缘的朋友,我要真心感谢他们,鱼的坟墓修在人的肚腹,我的光荣永远在他们的毁誉之中。

沙家浜记

沙家浜是常熟的一个古镇,以建在芦荡之中而与众不同。镇不大,人家相对筑屋,后门通河,前门是街,街巷就极其幽深。路面又全然铺就了石板,石板与石板并不严实,故意留着空隙,能看见下面活活流水,似乎整个镇子就浮在了水上。从街往里走,看两边屋舍,大都两层,木头横七竖八,结构巧妙,人多各倚栏临窗,软语呼应。有旧寺数座,混杂于商铺之间,唯独门前蹲有石狮,石狮不威严,喜庆状可掬。也有老桥,连扯左右,荷就钻出石罅,近旁就是茶肆饭店。进去坐下,茶要碧螺春,饭要卤汁面,正端详灶是不是七星灶,壶是不是老铜壶,忽后窗外咿呀声响,一小船靠近,船上人和屋里人打情骂俏,便得一篓鳑鲏鱼递进来。鳑鲏鱼是稀罕物,水质好才能生长,鳑鲏鱼也正是这里的特产。连呼煎炸一碟来呀,却有黑鹳白鹭就站在后门栏上,而三朵四朵芦絮飞进,上下飘浮,用手不可捉拿。

时不时听人唱阿庆嫂,京剧味不足,但极投入。循声步入一条短巷,唱却息了,而巷外湖荡汪洋,风正紧,水面微皱,芦絮起落如云。岸边排列无数船,其状似偌大的鞋。顺脚上去,摇橹的大嫂问去哪儿,说句船到哪儿人到哪儿吧,船就箭一般驶进芦荡。进了芦荡才知神秘莫测,河道密布,港汊纵横,沿一处深入,芦苇愈来愈高,凉气袭身,万籁俱静,只听得橹声和蜂鸣,有几分惊奇也有些许紧张,想武陵桃源莫过如此吧。七拐八拐,已迷失了方位,却恰遇骤风,一时芦苇前呼后拥,一尽线乱。在乱中,却看见了远处栈桥和桥端的芦亭,亭中有人吃茶说话,只听得一团嗡声,分辨不出话语。约几分钟,风软下去,悄没声息。继续前进,道越来越窄,水越来越深,湖苇倾斜得不能摇橹,江苇扑撒在船头,便看清了水中游鱼,而头顶上水鸟乱飞,一时有了奇思,这鸟入水为鱼,鱼出水为鸟,是相互转换的吗?得意自己不是诗人却有了诗情。

游了一次沙家浜,再也忘不了江南的这个古镇,记住了这片可能是中国最干净的水和水中浩浩茫茫的芦苇。

在"贾平凹文学艺术馆"开馆仪式上的讲话

尊敬的各位领导、各位来宾,老师、同学们:

建筑科技大学建立"贾平凹文学艺术馆",从我得到消息到今日揭牌开馆,我一直处于大意外和大惭愧的意识中。因为我仅仅是一位普通的写书人,似乎以写书有一点名而已,但是写的书能不能传之后世,时过境迁还有没有人阅读,这还是个未知数;再一点,成名也不代表成功呀!所以,建立这个馆,我承受不起,我汗颜和羞愧。当得知要建时,我曾惊恐不安和反对,但这是学校的决定,我无力去改变,我只能视作这是建筑科技大学对我的厚爱,是社会众多读者和同仁对我的支持。在此,我以虔恭之心,感恩供我生活和写作的这个时代,感恩建筑科技大学这一块风水极好的土地,感恩建筑科技大学的领导和师生,感恩为这个馆付出辛勤劳动的设计人员、筹建人员、施工人员以及社会上关注它的所有读者朋友!

馆建起来了,它是学校的一座建筑,它记载了一段历史,凝聚了社会的一种企盼,但我看它是我的钟鼓楼,我看着它就深感到巨大的压力,似乎能听见晨钟暮鼓在催我不得懈怠,不得沉沦,不得止步。我将以我最大的努力去工作去写作,做出成绩,以至于不辜负这个馆,不被后人耻笑,不被历史嘲弄。

再一次谢谢参加揭牌开馆典礼的朋友们!

握　　手[①]

当人的生命进入到五十岁的时候,你就不会太张狂,你开始敬畏,全身心地感激着来自江河、大地和星界的神灵的恩赐。二〇〇三年一月十七日这一天,就是我生命中很重要的日子。在这个好日子里,我向建筑科技大学祝福,向大家祝福,也向自己祝福。刚才进校时,我看到路边的树是那样的精神,有一块护栏却有些弯了,我真想去把它扶正,这样的感觉以前是没有的。我知道我现在成了人文学院的一员,成为了建筑科技大学的一员,我有了自家人的心态。

建筑科技大学创建人文学院是一种雄心和胆识的表现,也是一种实力的展示,名校的意识和建设名校从每一件具体事情上认真做起的精神,使我感到振奋,也受到感动。我能被聘用,在此我向校方领导致谢,向全校师生员工致谢!

被聘用使我有了一份荣幸,也同时有了一份责任和一份巨大的压力。古语讲"女为悦己者容,士为知己者死",学校对我如此信任,我是有些害怕了。以前,有别的学校聘任我去做教授,我写了一句话:百无聊赖何言教,一事无成怎作授。现在,不但要做教授

[①] 本文系作者就任西安建筑科技大学人文学院院长时的讲话,题目为编者所加。

还有一个院长的名称,我真的不知所措!如果说我的名气大,那是在文学界,而且"名既大,谤亦随焉"。在性情上,(我)也是"健则行,倦即睡耳",是个随意性很大的人。所以,我在此声明:一方面,我水平低,生疏教学,更不善做行政,希望大家不要对我期望过高;另一方面,我将以我最大的努力,发挥我最大的长处,即依靠大家,信赖大家,把该做的事做好。我虽然没有盖鸡窝盖成了大楼的本事,但我绝不会在盖大楼时盖成了鸡窝。

飞 龙 在 天[①]

几年前,一个极平常的日子。认识了徐德龙,知他是一位大学教授,一个大学里的校长。也许是我们都属龙,年纪相当,也许是气味相投,就有了第二次,第三次。多次的见面后,相互就没有了客套,留下了坦诚和情意。徐先生学识渊博,为人谦和儒雅,是彬彬君子一类,但办事干脆利落,不婆婆妈妈。他留过洋,有西方人的认真和严谨,还有中国南方人的机敏,更有着西北人的宽厚和刚毅。一个搞粉体工程研究的人,可偏偏又喜爱《论语》《易经》,喜欢文学艺术,科学精神中又多了一份人文思想。把个大学办得虎气生生,实在是叫人企羡。

《易经》上说:"飞龙在天。"在天就要飞,飞就须得胸怀广阔,有高远的眼界。可儿飞千里总是心系母亲,他回到了祖国,回到了生他养他的大西北,回到了培养他的母校。他从事的粉体工程研究太深奥,我不懂,我只是听人说,他用自己的研究救活了一批水泥厂,还有人,人的生活,人的精神。

我说过"要了解中国,就必须了解中国的农民"。而要看中国科学文化的高深程度,最重要的,我想得看中国的大学教育。人都

[①] 此文是作者为西安建筑科技大学校长徐德龙院士专著《学海泛舟》一书所作之序,文字略有修改,题目为编者所加。

说作家是人类灵魂的工程师,其实学校里的先生们才是真正的人的灵魂精神的工程师。大学是培养尖端人才的地方,更是熔铸人的精神灵魂的八卦炉。有什么样的大学,就有什么样的老师,有什么样的老师,就有什么样的人才出炉。

我虽然在几个大学里应聘过教授,可心里总是诚惶诚恐的,就写过一句话:百无聊赖何以教,一事无成怎作授,对大学教授是充满着敬慕之心的。像徐德龙做个大学的校长,肩上的担子就更重了。所以他总是弓着个腰,走路像小跑。

看了徐校长的专著《学海泛舟》,就了解了西安建筑科技大学发展的历史,尤其是这几年的变化,更了解了徐德龙躬身小跑为了个啥。《易经》还说:"见龙在田。"田就是大地,搞建筑的是离不开土地的。有了土地,在田的龙才能飞跑。大学的地就是教学科研,就是老师学生;大地生养着万物生灵,大地也有着惰性。惰性就生出了破烂的校舍,生出了低水平的教育,蚀掉了创新精神。我常想,大学扩招,效益好了,如果教学质量跟不上去,那可是误国误民的事情。领导忧心忡忡,老师忧心忡忡,家长学生更是忧心忡忡。人们用从口里抠出来的钱,把孩子送到大学念书,要是学不下东西,谋不下个生存之道,那才是把刀子往人心上扎哩。徐德龙和西建大这几年搞的五大跨世纪奠基工程,尤其是把教育教学质量当作第一要务,是有功于国家的责任,也实在是积德行善之举。

说到专业建设,学科建设,我是个外行,我只知道各种科学是人的不同法门,法门虽然不同,但在最高境界上是相通的。搞文理渗透,照我的理解就是要打通人的各个法门,别的就不敢多言了。

当人的生命进入五十岁的时候,就不会太张狂了,开始学会敬畏,开始全心全意地感激来自江河、大地和星空的神灵的恩赐。徐德龙已是到了知天识命的年龄,又在他从小就厌恶的"官场"(校长也是官嘛)。他说他这是一种不遂心愿的转折,"潜龙勿用"要看在啥事情了。是龙就得飞,飞就得"顺天应人"。天人感应了,就能飞起来,天人合一,就会飞得高,飞得自如了。祝徐德龙和西安建筑科技大学飞上天人合一的境界。

2003 年 2 月 28 日

手稿版《西路上》答孔明问

孔明(以下简称孔)：贾先生，《西路上》手稿本的出版，是您自己的创意吗？

贾平凹(以下简称贾)：出手稿版，我没有想到过。记得前年王新民似乎有过这个意思，当时一笑置之。今年春上，王新民又与三秦出版社的编辑高立民寻到了我，谈了他们的设想，希望我能配合支持。我甚觉为难，一是觉得这样好吗？出手稿版是不是太那个了？二是觉得这对出版社也是冒险，会有销路吗？但出版社下了决心，我就同意了。

孔：您对拿在手上的这个手稿本《西路上》感到满意吗？其设计思路是否征求过您的意见？

贾：我是刚拿到书的，和我想象的不一样。看得出，出版社是用了心的，设计用纸都比较讲究。老实说我是担心的，手稿本怎样出才好呢？现在的这个样子不错，我自己喜欢，也希望读者喜欢。

孔：以手稿形式出版当代作家的一部完整作品，在目前是极罕见的，这是否与您的艺术性格与个性化魅力不谋而合？

贾：如果是我个人完成的事，我是会固执地按我的想法去做的，比如写作。但若与人合作，我百分之九十情况下是随和地努力去达到合作的愉快。这是我做人做事的原则。这本书的出版就是

扶風圖

樂山佛 庚寅

丰白

这样。

孔：对读者,特别是对贾平凹迷们而言,这无疑是一个"福音":他们在欣赏与收藏贾平凹的书籍的爱好里,不仅多了一个新鲜而有趣的版本,而且多了一个窥视您、了解您的途径。读您的手稿本《西路上》,感觉的确与电脑排字版不同。首先是亲切了,读者与您的距离一下子拉近了;其次是身临其境,仿佛不是在读您的文字,而是在和您面对面交谈;再次是对您作品的魅力有了更加丰满、真切的感受。听说《西路上》是您边走边写的,是这样吗?

贾：《西路上》是我从西安走到新疆的见闻和体会,当时白天在旅途,每晚做笔记。如果看那些笔记本,有些地方写得十分潦草,那是在汽车抛锚时趴在座位上写的,有些是车跑动中写的。笔记本上画了相当多的图案和多种符号,只有我看得懂,那是一时来不及,又怕遗忘而做的。

孔：旅行是很辛苦的,旅行的同时还坚持写作,您是怎样安排时间和精力的?听说您曾经骑着骆驼写作,有这回事吗?

贾：我身体不好,一直担心路上累倒,但还好,只是犯过几天的牙痛和一次拉肚子。我带了一大包药,反正没事了就抓紧休息。一路很辛苦,但我幸运地完成了预期的计划。

孔：您的《西路上》与西部大开发有联系吗?

贾：当然有联系了。去亲身看看西路上的山川地貌、人情风俗和现在的变化,一直是我难以释怀的念头。

孔：和您的毛笔字一样,您的《西路上》的手稿显示了您的硬笔字也有着个性化的魅力。您的字体风格是在自然写作中形成的,还是刻意练写出来的?

贾:当然是在自然写作中形成的。我从未想过要当书法家,书法是我种麦子而在收获到麦粒外又收获了麦草。老实说,我的钢笔字不如毛笔字。从书中可以看出,有些篇章写得还可以,有些篇章就潦草不堪。那时怎么能想到会出个手稿本呢?

孔:在电脑写作已经普及的今天,您为什么还不换笔呢?

贾:我喜欢用笔写作,也习惯了。用电脑快,但一个作家一生能写多少字呢?写不了多少的,何况手擀面条总比机器压出来的面条好吃。

孔:谢谢您在百忙中接受了我的采访。

2001 年 12 月 10 日

泥土的形状

二○○四年八月,有人送我一个土彩罐,唐代的,朱砂底色,绘牡丹百花,很是艳丽。我把它放在案几上。

一日上午,我在书房,一股风从窗子进来,土彩罐里却有响声,呜呜呜,像吹口哨。风过罐口会有响动,但土彩罐的声音幽细有致,我就盯着它看。

字典里有一个词叫御风,这词虽好,但有些霸气,我还是喜欢陕西的一个县名:扶风。这日我又读到《西京杂记》上一段话,还是说到风,我就把它书写了下来:

> 乐游苑自生玫瑰树,树下多苜蓿,风在其间常萧萧然,日照其花,有光彩,故名苜蓿为怀风。

《西京杂记》的话刚写完,土彩罐就响,土彩罐应该也"怀风"。

土彩罐是谁家曾经用过,又埋在了谁的墓里,这些我都不知道,它贯穿了阳间和阴间,肯定有着许多故事。

每个人出生的时候自己在哭,死亡的时候又是别人在哭。这些事土彩罐一定知道。但是,每个人都是在父母做爱中产生的,一生又都是在爱的纠缠中度过,这些事土彩罐也一定知道。土彩罐从谁家的家里、墓里而来到我这里,它是来采集我的故事吗?

土彩罐还在呜呜呜地响,像吹口哨,我走过去关了窗子。从窗子看出去,外边是下了雨,街上有无数的人,我看见无数的人在雨中走着走着就化了。

人是从泥土里来的,终究又变为泥土,这土彩罐是一种什么形状呢?御风罢,扶风罢,怀风罢,只有这风,风是泥土捏的东西的灵魂。

2005 年 1 月 18 日

看 展 览

二〇〇五年四月,西安举办了古罗马文物和古长安文物展。古罗马时期也正是中国秦末汉初,古长安辉煌年间。两个展室同时进行,并在一起,观后感慨甚多。

一、人类文明的进展大致是差不多的,古罗马人和古长安人生存于地球的两端,你能做陶,我也能做陶,为了汲水方便,把陶都做成尖底壶。都一样把文字喜欢刻在石上。都一样采用了同样的颜料在墙壁上作画。只是生活在地中海边的人过得富裕,富裕了人就优雅,而中国大部分土地贫瘠,人的日子艰辛,因日子艰辛便兵荒马乱着。

二、古罗马文物大多是大的大理石雕刻的人像,古长安的文物大多是陶器。人像是竖立于地面上的,陶器来自墓穴。古长安肯定有伟大而精美的地面东西,但现在除了极个别的墓前石狮和一两座砖塔外,陶器都小,朴素而阴冷。中国的改朝换代,莫不起之兵火,不捣毁和砸烂一切是不足以泄愤的。如果没有陪葬的习俗,我们的历史就难以见证了。善于破坏,不注重继承、修复和建设,这种遗性在现在的中国人身上仍有。一位朋友说,孙悟空如果只会大闹天宫,而不去取经,它是成不了真正的大圣的。这话极是。

三、古罗马的雕像多是神话中的人物,古长安的陶器中动物的形象最多。一个写实,一个神似,一个崇尚神与人的尊严,一个浸淫于万类同在天人合一的理想。它们都是艺术品,古罗马的文物让人惊骇不已,古长安的文物则令人幽思不绝。世界由阴阳组成,艺术也是如此。我们现在的艺术家目光多是趋科技的发展而游移,认为中国传统的艺术"珠玉在侧",实在是人无下贱,下贱自生。学习是当然的,但怎么学,有一句话是"最分明处最模糊",可生发诸多思考。

四、古罗马的大理石质量实在是好,中国没有这样的材料。

2005 年 4 月 17 日

好的文学语言

我来讲讲文学语言。

我不会正规讲课,无法把握时间。另一点,我的观点只代表我,对于文学语言的认识只是我在写作中的体会。所以,讲课期间希望大家用心领悟。如果有过写作实践的,可能听起来理解快,没有写作实践的,那就在以后阅读作品时参照我的认识去阅读。

语言是什么?有些教科书上或许会有许多定义,其实,每个人会说话就掌握了文学语言。口头语言和书面语言不同,而文学语言却是和口头语言一致的。但是,不是说你会说话你就能写出好的文学语言。有人说话有意思,有人说话没意思,这便是你说的话能否表达你要说的内容,能否表达得生动,能否表达得好听。即准确性、形象性、音乐性。俗话说:话有三说,巧说为妙。巧,就是准确、形象、音乐。要达到巧,达到好的文学语言,除了个人天赋外,里边仍有许多后天要认识的东西。今天我讲的,就是这些认识问题。

一、一句话,好的语言是什么?

即:能准确表达出人与物的情绪的就是好的文学语言。怎样准确表达出情绪呢?这就是搭配。汉文字大概有四千多个,四千个字由你搭配。

搭配是一种实用。好的语言都是实用的。世上任何东西都是实用的,为实用而存在。美就产生于实用中。熊掌的雄壮之美来自它捕食,马腿的健美来自它奔跑。语言美来自能表达情绪。举例:鲁迅的一句话:"窗外有两棵树,一棵是枣树,另一棵还是枣树。"大家公认是好语言,因为表达了情绪。什么情绪？一种寂寞、无聊、苦闷、无奈的情绪。巴金有一篇散文《坚强战士》,写一个战士负伤后爬回自己阵地的故事。爬了七天七夜。全部是短句子,全部用句号(注意,标点符号是文学语言的一部分,它在搭配过程中起着极大作用)。这样写着:"他抬起头来,天边有了星星。他抬了一下右手。他又蹬了一下左腿。他向前爬了一下。"(大致如此)这样的短句和句号,表达了他当时负伤的严重和爬动的艰难。

这些语言,没有华丽之词,都是口语,文字的搭配传达出了情绪。

二、具体谈如何搭配

要有质感。树皮是树皮的感觉,丝绸是丝绸的感觉。这种感觉在视觉上要舒服。往往有些字搭配在一起,看着舒服,有的看着别扭。还有听觉。要听起来舒服。看着和听着舒服的语言常常就是人说的"这语言有味道"。味道是中国人对一种东西的肯定,就是有了独特的东西能引起注意(实际上好的文学作品就是掌握个味儿)。在搭配时,你首先要把握表达情绪,然后再注意所选用的文字和词句,中国文字是象形文字,有些文字就存在质感,你不能把一堆太轻的字用在一起,也不能把一堆太重的字用在一起。再是要搭配出节奏。这些都是很玄的事,无法用语言在这里讲出,需要自己去体会。我当年研究它时,我是从音乐开始的,有些歌好听,怎么就好听了?我不识音谱,用一种笨办法,就是我找画图纸把音谱标出来看线条变化,分析好听的原因。分析怎么搭配高低、快慢、急缓、强弱。发现,快了肯定后边就慢,前边节奏急促后边肯定节奏长缓。寻它的一般规律,再寻它的独特规律。在节奏上,要爆发力和控制力,有跳荡式、舒缓式,有戛然而止,有余音袅袅。世上任何事情都包含了阴阳,月有阴晴圆缺,四季有春夏秋冬,人有喜怒哀乐。我们看每一个汉字,它的笔画都有呼应,知道笔画呼应的人书法就写得好,能写出趣味来。学画画素描,如画树,要看出每一个枝的对应关系,把它们看成有生命、有感情的东西,你就知道怎么把一棵树画得生动了。

上边谈搭配,我只大概讲讲方法,具体要个人自己去体会。体会得好还是不好,有个人天赋才情问题,也有个人后天修养问题。

为什么说后天修养问题?什么人说什么话,有什么样的精神世界就会有什么样的文学语言。有人心里狠毒,写出的文字就阴冷。有人正在恋爱期,文字就灿烂。有人才气大,有人才气小,大才的文字如大山莽岭,小才的写得老实,讲究章法的是小盆景。大河从来不讲章法。黄河九曲十八弯,毫无章法,小河遵从规范,因为是小河。所有的名牌服装都是简略,没有那些小装饰,但做工特别精细。大人物特别小心。上海人的小处细致才产生了大上海。在一群人中,你往往能看出谁是大聪明,谁是小聪明,小聪明反应都快,撑着说话,但说得刻薄轻佻,大聪明一般不说话,说了一句就顶一句。兔子永远是机警的,老虎总是慵懒。

另一点,语言与身体有关。文学语言是口语的转换,患哮喘的人肯定说不了长话,语言节奏实际上是气息节奏。最好的节奏就是正常人的呼吸平衡。在书法上,你如果练《石门铭》,肯定长寿,因为它笔画舒缓,能血脉畅通。有些人写字,你一看,就知道书法人心脏或呼吸道有病。从这里又谈到标点符号,所谓标点符号就是气息调解,有人不明白这道理,乱用标点符号,或模仿别人长句子或短句子,刻意模仿,你读起来非常难受。楼梯阶是以人的一般步子跨度来定的,如果你不是急着上楼或是病人慢慢地下楼,你把梯阶扩大或缩小,正常人走起来都不舒服。

三、运用闲话

什么是闲话?就是把要说的人和事已经交代了,还再说一两句的那部分就是闲话。有些人不说。说的人,会说的人,这里就表现了才情,这里就促成了他的风格。这一点非常重要。凡是文体作家,有风格的作家,或者说艺术性高的作家都是这样。比如沈从文,他的作品到处都是如此。我这里不再举例了,他的书,你翻翻,顺这个思路看,就明白。

怎样用闲话?它需要想象力。想象力在文学中是最基本的也是最重要的。文学,换一种说法即虚构性写作。得明白掌握两点,一是会讲故事,二是会用细节,故事就是好的情节,情节可以任意编排,细节却必须真实了再真实,有了真实细节,再离奇的故事都有人信,没有细节,再真实发生的故事写出来人都不信。如果你的细节真实而具有典型性,你的作品就是不朽的作品。鲁迅的小说好在哪里?好在他有典型的细节。如血馒头的细节,如阿Q临死画圆圈的细节。想象力在你讲故事的时候需要,在语言运用上也需要,你没有想象力,就写不了闲话。人说某某才华横溢,指的是闲话,因为水盛满了杯子,还往出溢,溢的就是那些闲话。张爱玲的作品往往是交代完人与事后要说许多闲话,这些闲话从另一个角度来补充前边的话,像是在湖面上打水漂,一个水漂一个水漂闪现过去。

四、使用最节省的话

语言要让人记住,要让人眼前一亮,是因为你说得特别准确,一下子说到人与事的骨头上,或者你有什么比喻,用最平常的话说出了一个道理。但在叙述语言中,你得用最短的话把事情说清。炼字,这是古人的讲究。著名的如"春风又绿江南岸"、"僧敲月下门"。炼字的目的是增加动感,有现场感,所以都在动词上炼。如杜甫"牵衣顿足拦道哭"七字中四个动词,平时说文字的硬度、张力,指的就是会用动词。常说的文字的顽劲,皮劲,指的就是会说闲话。

五、还原成语

用形容词,这是给初学人用的。它的起源是面对了众多的形象一时说不清而概括了的词,但文学作品它需要形象而不是概括,你就得还原成语。作家的工作是把牛肉罐头还原成牛。如万紫千红,你要写出一万个怎么个紫一千个怎么个红。在文学作品中你运用成语多了,就是学生腔,因为小学生和中学生使用成语字典。会还原的人,不但还原成语,还善于还原所有的词。有的词的本义在使用中失去了本义,你一还原,就新鲜生动了。如发生,就是发了、展了、生了,现在人说发生,常说:发生了事故。我写了"三月去山东,春正发生"。如团结,我写"屋檐下有蜂团结"。如糟糕,我写了"冬天里,土疙瘩冻得糟糕"。

六、向古典和民间学习

这道理简单,我不多说。向民间学什么,当然,民间有许多十分好的语言,得留意。如一个人讲:风刮得像刀子。再一点,采集民间土语。陕西民间散落了上古语言,沦为土语,认真总结这些土语,你就会许多可用的词汇,如"避"、"寡"、"携"、"欢实"、"泼烦"、"受活"等等。

七、语言严格讲,讲究是无穷尽的

在结构上、节奏上、感觉上变化莫测,我以上谈的数点,还仅仅局限于中国古典和现代文学范畴中。自新时期文学以来,大量的外国现代文学进来,又使我们开阔了眼界。虽然中西文化背景不同、语感不同,有些不能硬模仿,如整段没标点的,如特别长的句子节奏和过分短促的节奏,但这些可以开通我们思维,有的仍可以借鉴。尤其如一些叙述语言,如一些标点符号的运用,如一些节奏的变化,如一些在一句文字里或一句话中角色的转变,时空的转变。

如:美国小说《在中部地区的深处》:

①"狄克先生,帮我个忙。"

②"德斯蒙德太太在敲门,你会想她在轻轻地敲门,可实际上她是在捶门。她给我带了一根黄瓜。我相信她认为我是个女人。进来,德斯蒙德太太,谢谢你,和我做伴,天气不错,喝茶吧。我会把黄瓜切片,弄碎,加上奶油,做午餐,每片黄瓜就像我一样单薄。"

外国有意识流。中国人模仿，成了心理平面活动。但你读乔伊斯《尤利西斯》，则是另外的境界。如对话。如果中国人写，是："你吃了？""吃了。""吃的什么？""饺子。"《尤利西斯》是："你吃了？"问的时候看见了被问者身后的窗子，窗子上有一盆花。对方说："吃了。"窗子外一个小孩走过，小孩是某某的儿子，某某是个酒鬼，对方说："饺子。"想起上次他在某饭店吃饺子的事。他是把他目光看到的，听到的，联想的都写出来。写得十分混沌。

说到混沌。作品要写得混沌，不是文字的混沌，是含义的混沌。越是平白如话的文字而能表现混沌的意象，作品反倒维度更大。现代文学作品要有现代意识，现代意识是人类意识，现代文学的核心和灵魂是求变和创新，这一点，是另一个话题，留到以后去讲。我现在大致讲完了今天要讲的内容，最后，我还是回到混沌上来，我将我写在书房里的一句话写在这里："我是混沌雕不得，风号大树中天立。"这里的混沌，是《山海经》上讲的混沌，说混沌是个生命，没七窍，有人要凿七窍，凿了七天，到第七天，混沌有了七窍，混沌却死了。风吹树，是小树它就折了，是大树，大树仍是立着。

文学语言是一个迷宫，正因为是迷宫，才让我们产生追究它的兴趣。希望大家在写作时自己体会，在阅读时自己体会。

2004 年 12 月 12 日

大唐芙蓉记

曲江一带素来是西安的文脉之地,秦汉隋时这里便建过囿,到了唐代,更是皇家御苑和公共自然景区。但明清以后,所有的建筑、植被毁于兵火,残山剩水,废成了一片荒野。新世纪之初,江的北岸大兴土木,再建芙蓉园,辟地九百九十九亩,水阔三百三十三亩,建筑面积超过了五万平方米,创意之新,耗资之巨,做工之良,费时之久,叹为观止。

园内南为山峦,北为水面。如果进西御苑门,一经芙蓉桥,日光便先采水上,山势急逼到眼前。沿波池阪道深入,愈入愈曲,两旁嘉树枝叶深深浅浅,疑有颜色重染,树下异草,风怀其间。山峦东高西低,紫云楼建于主峰上,阙亭拱卫,馆桥飞渡,雄伟不可一世。登楼临窗,远处的秦岭霞气蒸蔚,似乎白云招之即来。回首北边湖面,烟水浩渺,白鹭忽聚忽散。对岸有望春阁,却是另一番态度。一个如龙盘山顶,一个如凤栖水边,两相欲语,却二湖雾漫,白茫茫一片,好像又坐忘于数千年里的往事中,销形作骨,铄骨成尘,更因风散。忽听得有丝竹管弦从山后传来,循声而去,过南馆院,转廊槛,由码头驾船到凤凰池,但见笋穿石鳞,荷高桥面。山后果然有戏馆,有唐集市,有曲水流觞,有御宴宫,只是游人如蚁,极尽繁华。绕过山脚,找一块僻静处,路上就有灰雀,鸡蛋般大,起落如掷石子,撵了灰雀到一片林前,看小桃开泛了,道边花分五色,忽一齐飞起,方知是蝴蝶蹁跹。从溪上小桥通过,步入峡谷,唐人诗句刻于崖上,一群小儿在下咿呀念诵。便见一鸭从溪中爬出,摇头晃尾而来。抱鸭出谷,拣一奇石歇息,盯一处妙地,思想此间可起小楼,驯鹿招鹤,指月评鱼。正得意着,天空恰好飘一朵云,倏忽细雨洒下,细雨是脸上有感觉,衣衫却不湿。跳跃着跑进一簇馆舍,却怎么也找不着出路,流水穿过这家庭院又穿过那家楼阁,墙那边的慈竹竟荫了墙这边的弄堂。蓦然回头,竟是长廊,廊则绕湖南往湖北,走走停停,看不够山巅、坡侧、临岸、水上的楼亭台阁依势而筑,隐显疏密。扶廊栏探身,湖水是掬不着的,荷叶翻卷,俯仰绿成波浪,金鲤成群,宛若红云铺底。遂坐船自划到湖心岛上,岛上有古石,藓斑大如铜钱,有老梅枝压亭檐。立于亭前听一女子弹琵琶,忽见湖面微皱,如抖丝绸,岛似乎在移动。买一杯茶来,慢慢品尝,直至天近黄昏时,再驾船到北岸。望春阁下,丽人馆外,成群结队的女子,个个衣着新鲜,或嬉戏于浅水滩,或围坐于草坪中,有花能解语,无树不生香,她们既看风景,又让人看。一直要等待夜幕降临,观看水幕电影和焰火表演。

闻名来游园,游园而忘归。芙蓉园之所以让国人震撼,世界称奇,是因为它不再是中国传统的山水写意园林的模式,而是将盛唐最有代表性的,如帝王、诗词、歌舞、市井、佛道、饮食、妇女、杏园、茶酒、科技等主题文化让建筑园林大师们赋以景点,每一处都有说法,每一处都成了文化祖庭。古人讲:"天生大唐则必有长安这样的城邑以成其都,有长安城则必有曲江这样的池园来辅助其功。"

几千年来,中国从未像当今如此渴望强盛,人民从未像当今渴望生活得从容优雅。芙蓉园体现了大唐气象,传达着一种精神上的向往和需求。人无精神者颓,城无精神者废,国无精神者衰,芙蓉园建在西安,西安有了自信自强,中国何不昌盛!

2005 年 1 月 29 日

蓮

乙酉 半山

精神之花显我们生命灿烂

乾癸十二月呼四平寓太白山天山旦

大 红 袍 记

　　山是九龙窠，倚天独石。半壁之间，有岩层如线由东向西斜来，隐显渗滴，西边忽一石皱款款下倾，弯成臂状，将层线收握，落土为掌，长出六株茶树。茶树饮露沐风，日晒雾浸，枝干粗拙，叶形娥眉，芽色紫红。这就是大红袍母树，在此已经四百余年了。本是平常之物，坚持得久了，便岩骨花香，成为神灵。今母株高在石台如同佛龛，六株分列坐若圣贤，而无性培植的茶丛已遍布山间，其独特的自然环境，独特的制作工艺，使茶品洁甘清香，名盛天下。大红袍成了武夷岩茶的象征，更是武夷茶人的精神。

2005 年 8 月 19 日

游悟真寺记

蓝谷一带属第四纪冰川的侵蚀地貌,岩层斜竖,断豁交合,乱石堆积,悟真寺就建在橡湾的覆车山上。乙酉年八月十四日,我同木南、世增去悟真寺时,山上无一游客,从山门进入爬近千级石阶,但见两边沟崖褶皱纵横,石锥危垂,裂缝中有古木,都不大,横杆斜枝,竭尽努力,而野藤老蔓牵挂如网。石阶陡窄,几乎贴面,满沟没有鸟鸣,只见蜂飞,脚步起落便响磬声。爬至崖巅,是一平台,悟真寺就在主峰之下。寺门洞开,却无僧人,佛像前也无一香一烛,院中铁炉可能被数日前雨淋过,死灰停了一层薄盖。别处的寺,四周皆有松柏,此寺则一尽橡树,且枝干端直,高约十丈,密密麻麻如竹林,时有橡果坠落,笃笃在地上跳跃。院里有残碑两座,字迹斑驳,仅识得寺建于隋,盛于唐时,曾庙宇连绵数里,僧人过千。立于寺中,不禁感慨万千,却喜悦了寺前谷对面的群山走向全朝着这里,那一道道鱼脊状的秃岭上乱石如屋,裸露草木中,竟像是跪拜了成千上万的信徒,而寺后主峰橡树簇拥,浑然苍翠,又都在阳光下熠熠明亮。此刻,天净无风,一色深蓝,突然有白云从主峰后涌出,迅速向寺上空移动,竟渐变龙形,头角须爪活现,龙身腾挪,鳞甲逼真。其祥瑞约五分钟,云彩散化无踪,天空又一片深蓝。遂想当今多少寺院成了旅游之地,虽收入不菲,钟灵殆尽,亏得悟真寺地偏人稀,而保存得神气完足。下山时,见寺旁有泉,水极甘甜,盛一瓶要带回沏茶,才见一僧从林中小路上走来,步履无声,手中提着一镰,不知是去做何事归来。

2005年9月22日

《贾平凹小说精粹》前言

《秦腔》出版后,我就着手整理这套书的文稿。这些年里,数家出版社自己选编出版了我的许多小说单集,常常这一版本上的作品又出现在那一个版本上,而每本又都不尽如我意。版本的混杂,于我不好,对读者也不好。现在自己选出这些篇目,算是比较完整的中短篇小说集,给自己作一个总结,对读者也提供一个方便。

我的写作是和新时期文学同步的,可以说,是个老兵。但我能力有限,实绩平平,虽出道到现在,每有新作都受关注,从未大红,更多的是争议不休。我本丑陋,也不修饰,各个时期的作品都选了一些,可以看出我起点多么低,一步一步又走得多么艰辛。过去的岁月或许青春,或许蓬勃,我已经再写不出那时的况味,而我还是更看重现在的文字。换一句话说,我似乎在五十岁后才慢慢懂得了什么是小说,小说应该怎么写,却同时又深感激情有减,精力不济了。

五十岁后,野心还在,警惕固封,警惕书斋气而写得滑溜,将这套书出版了,就不再自顾自怜,寂寞会随之而至,携琴将重新上路。天行健,当自强不息,地势坤,以厚德载物,但愿天还再旦。

2005 年 12 月 25 日

在首届世界华文长篇小说奖
"红楼梦奖"上的受奖辞

当八月初的新闻发布会通知我获得"红楼梦奖"后,我就盼望着来香港。我曾经两次来过香港,上一次距今也十年了。别人来香港可能是购物,香港是购物天堂呀;我来香港却都是与文学有关,香港应该是我发展文学的一个福地。站在这里,我首先要说的是谢谢,谢谢浸会大学文学院,谢谢决审团的各位评委,谢谢张大朋先生,你们给了我这样一个机会,授予了我这样重要的文学奖。

新闻发布会后,有媒体来采访我,我谈了三层意思。一是针对全球华文长篇小说创作,香港设立了这项奖,也只有香港才能设立这项奖,这项奖肯定影响力和公众性非常强。二是以《红楼梦》为奖名,表明这项奖的高贵和设奖机构的勃勃野心。《红楼梦》是一部伟大的作品,它代表了汉语长篇小说最高成就,以此命名,给当代华文作家提出了奋斗的目标,让我们能够永远面对着一种永恒和没有永恒的局面而激励反省。三是决审团的各位评委来自各个地区,又都是华文领域里的权威和尊贵,能得到他们的理解和认可,那是作家的荣光。至于我,在那么多优秀的华文作家和作品中,我仅是普通的一员,《秦腔》出版恰好赶上了时候,这项奖能授予我和我的《秦腔》,实在是出乎我的意料,更是我和《秦腔》的幸运。

当代的华文写作，可以说是极其繁荣的，但从世界范围来看，我们的写作并不是强势，仍需要突破。怎样使我们的长篇小说既能追赶世界文学的潮头，又能充分体现华文写作的特质，这是我们这一代作家最为焦虑最感兴趣又最用力实践的事。我们到底有什么？我们目下正缺什么？这就不能不说到《红楼梦》。《红楼梦》是我们最珍贵的遗产，它一直在熏陶着我们。我以前曾写过文章，评论我所崇拜的现当代作家沈从文和张爱玲，我觉得他们写作都是依然在《红楼梦》的长河里。沈从文的湘西系列让我看到了《红楼梦》的精髓；张爱玲的作品更是几乎一生都在写《红楼梦》的片段。我同所有的华文作家一样，熟读过这本大书，可以说，优秀的民族文学一直在滋润着我，传统文化渗透在我的血液中，所以在写《秦腔》时，我自然在语感上、在节奏上、在气息和味道上受到《红楼梦》的影响。当然，《红楼梦》是一座大山，我的写作仅仅是一抔黄土了。至于《秦腔》这本书，是我对中国大陆在世纪之交社会巨变时期所做的一份生活记录，也是对我的故乡我的家族的一段感情上的沉痛记忆。写这本书，我的心情非常沉重和惊恐不安，越是分明的地方越是模糊不清，常常是将混沌的五官凿出来了，混沌却死了。但是在叙述的过程中，语言的狂欢又使我忘乎所以，不顾了一切。我尽可能地写出我所生活的所熟悉的那片土地的人们的生存状况和他们的生存经验，又尽可能地表现民族审美下的华文的做派和气息。它写得很实，实到使读者在阅读时不觉得那是小说而真是经历了那个叫清风街的人人事事，同时以实写虚，大而化之，产生多义，有所寄托。我在《秦腔》的后记说过，以这本书为故乡树一块碑子,故乡从此失去记忆。《秦腔》的写作,使我的灵魂得到了一种安妥,而成书后我却不知道它将是个什么样的作品,能不能出版,出版后又会是何等的命运?值得一提的是,《秦腔》出版后虽同我以往的作品一样,依然引起了争论,但它的命运比《废都》要好得多。我也曾担心这本书的脚步走得不远,因为所写的内容和写作的方式会不会被别的地区和生活在另一种环境里的读者所理解,因此,"红楼梦奖"授予《秦腔》,能得到来自各个地区的评委们认可,仅这一点,给了我极大的慰藉和鼓励。

我们常常说,水是文学的象征,今年的雨水特别多,我想这可能是文运要昌盛吧,而今日的这个大厅里,我站在这里,有一种敬畏,感觉到文学之神就在空中游荡,在注视着我们。那么,为了华文写作,为了华文长篇小说能走向成熟,我们将努力再努力,去做出更多一些的更新一些的突破吧。

在第四届华语文学传媒大奖上的受奖辞

　　按照惯例,获奖的人都要在这里说一段话的,我该说些什么呢?我只能如实地说,当前三届"华语文学传媒大奖"授予了史铁生、莫言、格非三位杰出的作家的时候,我在遥远的西北曾热烈地为他们鼓过掌,在祝贺着他们的同时又不止一次地羞愧于我的年长和平庸。是的,前边走过了伟岸的身影,后边的大脚又跨踏而至,我想,我这个被争议的、在奔跑队列中又腿脚愈来愈沉重的作家,将与这项文学界重要的奖项无法靠近。我没有料到第四届的大奖会授给我,真的没有料到!所以,意外的喜悦使我惊恐紧张又内心充满了感激,感激评委对我的理解和肯定。你们的理解和肯定将使我从此有更多的写作信心,如果我的野心还在,我会在我热爱的写作中不顾一切,继续那马拉松式的长跑。

　　今天是四月八日,天空清明,清明的天空肯定游荡着诸多的神灵。可以说,四年来的每一个四月八日,这些诸神里肯定有文学之神光临。沈从文称他的写作是要建一座希腊的小庙,就是为着文学之神的居住。沈从文在中国文坛上建造了一座神庙,这倒让我想到了秦岭和秦岭上成百上千个现在还存在的庙。秦岭并不是国山如泰山,但它界分了国之南北,而它的南麓和北麓是我生活和写作的地方,我太熟悉和热爱那里,就让我说说其中三个庙的事。

我要说的第一个庙是建在很陡峭的一个崖头上,庙里供养的是叫娲的女神。女娲和伏羲是中华民族的始祖,但长久以来庙里的香火并不旺盛,去朝拜的只是些老太太们,跪在那里为求得孙儿而口中念念有词。我向往过女娲补天的神话,十数年前去过这个庙,正是冬天,雪下得撕棉扯絮,又狂风大作,冷得使我觉得天空有无数的刀子在翻搅。庙前庙后有许多石头,可没一块有斑斓色彩,也不是玉质。我想捡一块回去,觉得收藏女娲庙前的石头一定很有象征意义,但所有的石头都冻在地上搬动不开,好不容易捡了一块,从此也知道了太热的东西烫手,太冷的东西也烫手。就是这个庙,在前两年,突然传出曾多次夜里庙内有红光放射,每次红光放射,林中雉飞兔奔。流言一时广布,于是被视为民族要复兴的瑞兆,当地就大兴土木翻修,筹备大型祭典,女娲不再仅管生育,正名为民族之神。

还有一个庙在另一个山头。去这个庙不容易,羊肠小道要走几十里。乱石和杂草又把路覆盖得时断时续,而且得提竹棍打蛇,野蜂蜇了立即要在伤痛处涂上鼻涕。庙里的住持叫澄昭,弟子无数,每日山道上一簇一簇人,相互呼唤,回音轰鸣。去庙里的人绝大多数是草根蚁命的百姓,他们不会给庙里布施多少钱,能带的也只是一篮土豆、几块豆腐,或一瓶菜油和醋,在庙里祈求日子平安、身体健康和解除苦难,然后吃一顿斋饭。澄昭是佛学界的高僧,但他从来说家常话,甚至唠唠叨叨啰嗦不清,像个普通的家庭老太太。在他病得厉害的时候,去看他的人很多,哭声一片,他说了一句话:我会把心留给你们的。第二天就圆寂了,火化后灰烬里果然滚出一颗人心的舍利。这颗心现在仍保留着。

我还要再说秦岭上的一座山,山上的又一座庙。这座山的下边是因保存最完整的泥塑而著名的水陆庵,游人如织,庵外各类吃喝小贩云集,热闹得像个集市。但是,水陆庵只是山上那个庙的一个道场,而庙叫悟真寺,却极少人去登临,甚至还不知道。小庙在朝起和暮落时,常被云遮雾罩,空山只闻鸟叫,有太阳了,能看到对面诸峰如揖如拜,遍坡有凌乱的黑色树木,树木之间裸露白色的巨石,像千万信徒在坐禅听经。庙周围没有松柏,却全然青枫,不弯不枝,极尽高长,树下花草萋萋,风怀其中,日照又灿灿多变。这么好的地方就因为水陆庵太繁华而人们忘了根本,它冷落和破败,只住有一个和尚。这和尚每日除了习经诵课外,就几乎是一个农夫或樵夫,默默地在山林旁掘地种粮弄菜,提了镢头在岩巅涧底采灵芝挖药材。我喜欢这个庙,常常去那里,这个和尚就成了朋友。是他让我领略了什么叫坚持,什么叫守候,需要如何隐忍和静虑才能使生命处于大自在状态。这个和尚和我同岁,法名叫性云。

沈从文建造的是文学上的小庙,我说的尽是些秦岭上那些我曾经探访的破旧小庙,这就在大师面前暴露了我蠢昧的村相。我是从新时期文学开始时就进入文坛,从事写作和编辑成了我几十年的一种生命方式。但我时常冒出一个念头:如果我当年不以偶然的机会进大学读书,如果不是在大学里当时去向不明的状况下而开始了写作,我现在会是什么样子呢?肯定是一位农民,一个矮小的老农。或许日子还过得去,儿孙一群,我倚老卖老,吃水烟,蹴阳坡,看着鸡飞狗咬。或许在耕地日益减少,生产资料价格越来越涨,生活陷入了困顿,我还得揉着膝盖,咳嗽着,进城去打工。但我想,无论我会是哪一类生存状态的农民,我可能也要去山上的庙里烧香磕头吧。

也因此,我庆幸我从事了写作的工作,也更珍惜了手中的这支笔。

这就是我要说的话。谢谢大家。

拴 马 桩

上个世纪的九十年代,西安人热衷收藏田园文物。我先是在省群众艺术馆的院子里看到了一大堆拴马石桩,再是见在碑林博物馆内的通道两旁栽竖了那么长的两排拴马桩,后就是又在西北大学的操场角见到数百根拴马桩。拴马桩原本是农村人家寻常物件,如石磨石碾一样,突然间被视为艺术珍品,从潼关到宝鸡,八百里的关中平原上对拴马石桩的抢收极度疯狂。据说有人在城南辟了数百亩地做园子,专门摆列拴马石桩,而我现居住的西安美术学院里更是上万件的石雕摆得到处都是,除了石鼓、石柱础、石狮、石羊、石马、石门梁、石门墩、石滚、石槽外,最多的还是拴马石桩。这些拴马石桩有半人高的,有一人半高的,有双手可以合围的,有四只手也围不住的,都是四棱,青石,手抚摸久了就越腻发黑生亮。而拴缰绳的顶部一律雕有人或动物的形象,动物多为狮为猴,人物则千奇百怪或嬉或怒或嗔或憨,生动传神。我每天早晨起来,固定的功课就是去这些石雕前静然默思,我觉得,这些千百年来的老石头一定是有了发灵性的,它们曾经为过去的人所用,为过去的人平安和吉祥在建造时有其仪式,在建造过程中又于开关、就位上有其讲究,甚至设置了咒语,那么,它们必然会对我的身心有益。

任何文物的收藏,活跃着的,似乎都是一些个人行为,其实最后皆为国家、社会所有,它之所以是文物,是辗转了无数人的手,与其说人在收藏着它们,不如说它们在轮换着收藏着人。上个世纪之初,于右任和张钫凭借了他们的权势和智慧,大量收藏过关中的墓碑,他们当时有过协定,唐以前的归于右任,唐以后的归张钫,近百年过去了,于右任收藏的墓碑都竖在了碑林博物馆,而张钫的那些墓碑运回河南老家,现在也成了"千唐志誌斋"博物馆。于右任和张钫是书法家,他们只收藏有文字的墓碑,后来,又有了个美术教育家王子云,他好绘画,好雕塑,就风餐露宿踏遍了关中,访寻和考察了关中的石雕,写成报告并带回大量的实物拓片。但是,于右任、张钫和王子云并没有注意到拴马石桩之类,可能那时关中的石刻石雕太多了,战乱年间,他们关注的是那些面临毁坏的官家的、寺院的、帝王陵墓上的东西,拴马石桩之类太民间了,还没有也来不及进入他们的视野。地面上的文物是一茬一茬地被挑选着,这如同街头上的卖杏,顾客挑到完也卖到完,待到这些拴马石桩之类的东西最后被收集到,才发现这些民间的物件其美术价值并不比已收集了的那些官家的寺院的陵墓上的东西低。西安是世界性的旅游城市,可大多的游客只是跟着导游去法门寺去秦始皇兵马俑博物馆,在那如蚁的人窝里拥挤,流汗,将大把的钱扔出去。他们哪里知道骑一辆单车到一些单位和人家去观赏更有玩味的拴马石桩一类的石雕呢?我庆幸我新居到了西安美术学院,抬头低眼就能看到这些宝贝,别人都在"羊肉泡馍"馆里吃西安的正餐的时候,我坐在家里品尝着"肉夹馍"小吃的滋味。

我在西安美术学院的拴马石桩林中,每一次都在重复着一个感叹:这么多的拴马石桩呀!于是又想,有多少拴马石桩就该有多少匹马的,那么,在古时,关中平原上有多少马呀,这些马是从什么时候起消失了呢?现在往关中平原上走走,再也见不到一匹马了,连马的附庸骡、驴,甚至牛的粪便也难得一见。

有这样一个故事,说有人学会了降龙的本领,但他学会了降龙本领的时候世上却没有龙。如今,马留给我们的是拴马的石桩,这如同我们种下了麦子却收到了麦草。好多东西我们都丢失了,不,是好多东西都抛弃了我们,虎不再从我们,鹰不再从我们,连狼也不来,伴随我们的只是蠢笨的猪,谄媚的狗,再就是苍蝇蚊子和老鼠。西安的旅游点上,到处出售的是布做虎,我去拜访过一位凿刻了一辈子石狮的老石匠,他凿刻的狮子远近闻名,但他去公园的铁笼里看了一回活狮,他对我说:那不像狮子,人类已经从强健沦落到了孱弱,过去我们祖先司空见惯并且共生同处的动物现在只能成为我们新的图腾艺术品。我们在欣赏这些艺术品的时候,更多地品尝到了我们人的苦涩。

在关中平原大肆收购拴马石桩一类石雕的风潮中,我也是其中狂热的一员。去年的秋天,我们开着车走过了渭河北岸三个县,刚刚到了一个村口,一个小孩扭身就往巷道里跑,一边跑一边喊:西安人来了!西安人来了!立即巷道里的木板门都哐啷哐啷打开,出来了许多人把我们围住,而且鸡飞狗咬。我说:西安人来了怎么啦,又不是鬼子进了村?!他们说:你们是来收购拴马石桩的?原来这个村庄已经被来人收购过三次了。我们仍不死心,还在村里搜寻,果然发现在某家院角是有一根的,但上边架满了玉米棒子,在另一家茅坑还有两根,而又有一家,说他用三根铺了台阶,如果要,可以拆了台阶。这让我们欢喜若狂,但生气的事情立即发生了,他们漫天要价,每一根必须出两千元,否则只能看不能动的。农民就是这样,当十年前第一次有人收集拴马石桩,他们说石头么,你能拿动就拿走吧,帮着你把拴马石桩抬到车上,还给你做了饭吃,买了酒喝,照相时偏要在院门口大声吆喝,让村人都知道西安人是来到了他们的家。而稍稍知道了西安人喜欢这些老石头,是什么艺术品,一下子把土坷垃也当作了金砣子。那一次,我们是明明白白吃了大亏购买了五根拴马石桩。

也就在这一次收购中,我们明显地感觉出农村的萧条,几乎到任何一个村庄,能见到的年轻人很少,村口或巷道里站着和坐着的多是一些老人和孩子,询问有没有拴马石桩,他们用白多黑少的眼睛疑惑地看你,然后再疑惑地看停在旁边的汽车,说:那得掏钱买哩。我们说当然要掏钱的,他们才告诉你有或者没有,又说:还有牛槽的,还有石门墩哩。领着你去看了,或许有一根两根,不是断裂就是雕刻已残损得失去形状,但他们能拿出石门墩来、牛槽来,还有石碌碡,打胡基的础子,砸蒜的石臼,都是现代物件,说:买了吧,我们缺钱啊。看得出他们是确实缺钱,衣衫破烂,面如土色,每个老人的后脖颈壅着皱褶,晒得黑红如酱,你无不生出同情心来。被同情之人必有可恨之处,也就这些人,和你论起价来,要么咬一个死数,然后就呼呼噜噜吃他的饭,饭吃完了又一遍一遍伸出舌头舔碗,不再出声,而另一个则舌如巧簧,使你毫无还嘴之机。买卖终于是做成了,我们的车却在另一条巷里受阻,因为有人家在办丧事,一群人乱得像热锅上的蚂蚁,急声催喊着快去邻村喊人,他们有气力的劳力已经极少,必须两个村或三个村的青壮劳力方能将一具棺材抬往坟墓。在一片哀乐中,两个村庄的年轻人合伙将棺材抬出村去,我不禁有了一种苍凉之意,千百年来,农民是一棵草一棵树从土里生出来又长在土上,现在的农民却大量地从土地上出走了。马留给了我们一根一根拴马的石桩,在城市里成为艺术的饰品,农民失去了土气,游荡于城市街头的劳务市场,他们是被拔起来的树,根部的土又都在水里抖刷得干干净净,这树能移活在别处吗?

开着收购来的拴马石桩的车往城里走,我突然质疑了我的角色,这是在抢救民间的艺术呢,还是这个浮躁的年代的一个帮凶或者帮闲?

当西安美术学院分配了我那套楼下一层的房子时,窗外是早栽竖了三根拴马石桩,我曾因窗外有这三根拴马石桩而得意过,而现在,我却为它悲哀:没有我的时候里有马的时代,没有了马的时代我只有守着拴马石桩而哭泣。

2003 年 6 月 21 日